BABECZKI DO KAWY

Z niemieckiego przełożyła
Barbara Floriańczyk

Świat Książki

4 PRZEDMOWA

Babeczki są tak cudownie różnorodne! Krem może być ze śmietany, crème fraîche, serka mascarpone lub twarożku, czasem zabarwiony na delikatny róż, elegancki ciemny brąz lub lśniący fiolet, wreszcie udekorowany wszystkim, czego dusza zapragnie: świeżymi owocami, chrupiącymi orzechami, jadalnymi kwiatami, czekoladowymi wiórkami, barwną kruszonką, różowo lśniącymi kryształkami cukru lub serduszkami. Niewielkim wysiłkiem osiągniemy ogromny efekt. Do tego miłe spotkanie towarzyskie. Chwila beztroski. Filiżanka herbaty lub kawy. Do szczęścia nie potrzeba niczego więcej…

Wypróbowaliśmy wszystkie przepisy i opisaliśmy je w taki sposób, że na pewno się udadzą.

BABECZKI
DO KAWY

6 BABECZKI MALINOWE 12 SZTUK

ZAWARTOŚĆ JEDNEJ BABECZKI: b: 6 g, t: 29 g, w: 41 g, kJ: 1891, kcal: 452, jch: 3,5
CZAS PRZYRZĄDZANIA: godzina, nie licząc czasu chłodzenia
CZAS PIECZENIA: 25 minut

WYTWORNE I DELIKATNE

NA CIASTO

200 g mąki pszennej
40 g obranych ze skórki i zmielonych migdałów
1½ płaskiej łyżeczki proszku do pieczenia Dr. Oetkera
¼ płaskiej łyżeczki soli
80 g cukru
100 g masła (o temperaturze pokojowej)
250 g jogurtu (3,5% tłuszczu)
2 jajka (klasy M)
150 g mrożonych malin
2 łyżeczki mąki ziemniaczanej

DO PRZYBRANIA

200 g białej czekolady
kilka srebrnych cukrowych perełek

NA WIERZCH

500 g śmietanki kremówki (co najmniej 30% tłuszczu)
2 opakowania zagęstnika do śmietany
6 łyżek syropu malinowego

DODATKOWO

24 papilotki (papierowe foremki) do muffinek

1. Każde zagłębienie w formie do muffinek wyłożyć dwiema papilotkami.

2. Rozgrzać piekarnik.
Grzałka górna/dolna: 180°C
Termoobieg: 160°C

3. Na ciasto wymieszać mąkę z migdałami, proszkiem do pieczenia, solą i cukrem. Masło roztopić i lekko przestudzić. Następnie wlać do miski i wymieszać z jogurtem i jajkami.

4. Zamrożone maliny posypać mąką ziemniaczaną i równomiernie w niej obtoczyć. Mąkę z dodatkami dodać do masy maślano-jogurtowej. Wsypać zamrożone maliny i wymieszać.

5. Ciasto rozłożyć równomiernie w zagłębieniach formy. Wstawić na ruszt do rozgrzanego piekarnika (dolny poziom). **Piec 25 minut.**

6. Wyłożyć na kratkę kuchenną. Po 5 minutach babeczki wyjąć z formy i pozostawić na kratce kuchennej do wystygnięcia.

7. W tym czasie czekoladę połamać na kawałki. Dwie trzecie roztopić w garnuszku w kąpieli wodnej na małym ogniu, mieszając. Garnuszek wyjąć z kąpieli wodnej i roztopić w nim resztę czekolady, nadal mieszając.

8. Wypełnić czekoladą szprycę i wycisnąć na papier do pieczenia, tworząc wzór kwiatków. Dopóki są miękkie, udekorować w środku cukrowymi perełkami. Pozostawić do stwardnienia.

9. Śmietankę ubić na sztywno z zagęstnikiem i dodać syrop malinowy. Przełożyć do szprycki z gwiaździstą końcówką i wycisnąć dekoracyjnie na babeczki. Przykryć ostrożnie, aby nie zepsuć dekoracji i wstawić na 30 minut do lodówki.

10. Czekoladowe kwiatki ostrożnie, najlepiej małą łopatką, oddzielić od papieru. Przybrać nimi babeczki tuż przed podaniem.

8 BABECZKI Z JEŻYNAMI 12 SZTUK

ZAWARTOŚĆ JEDNEJ BABECZKI: b: 8 g, t: 29 g, w: 16 g, kJ: 1473, kcal: 353, jch: 1,5
CZAS PRZYRZĄDZANIA: 35 minut, nie licząc czasu studzenia
CZAS PIECZENIA: 20–25 minut

CAŁKIEM BEZ MĄKI

NA CIASTO

270 ml mleka (1,5% tłuszczu)
120 g masła lub margaryny (o temperaturze pokojowej)
szczypta soli
140 g cukru
150 g zmielonego maku
3 jajka (klasy M)
180 g zmielonych orzechów laskowych
1½ płaskiej łyżeczki proszku do pieczenia Dr. Oetkera
płaska łyżeczka cynamonu

NA WIERZCH

150 g crème fraîche
łyżka cukru pudru
12 jeżyn

DODATKOWO

12 papilotek (papierowych foremek) do muffinek

1. Zagłębienia w formie do muffinek wyłożyć papilotkami.

2. Mleko wlać do garnuszka, dodać masło lub margarynę, sól i cukier. Doprowadzić do wrzenia. Dodać mak i mieszając, gotować minutę na średnim ogniu. Zdjąć z ognia i lekko przestudzić.

3. Rozgrzać piekarnik.
Grzałka górna/dolna: 180°C
Termoobieg: 160°C

4. Stopniowo do letniej masy makowej dodawać jajka, mieszając trzepaczką.

5. Orzechy wymieszać dokładnie z proszkiem do pieczenia i cynamonem, a następnie dodać do masy.

6. Ciasto rozdzielić równomiernie w formie. Wstawić na ruszt do rozgrzanego piekarnika. **Piec 20–25 minut.**

7. Wyłożyć na kratkę kuchenną. Po 5 minutach babeczki wyjąć z formy i pozostawić na kratce do wystygnięcia.

8. Crème fraîche z cukrem pudrem ubić na sztywno mikserem z końcówkami do ubijania na średnich obrotach.

9. Na każdą babeczkę nałożyć dwiema łyżeczkami kleks kremu, a następnie przybrać opłukanymi i osuszonymi jeżynami.

Rada: Zamiast jeżynami babeczki można przybrać kawałkami fig.

10 SZWARCWALDZKIE BABECZKI Z CIASTA PARZONEGO 12 SZTUK

ZAWARTOŚĆ JEDNEJ BABECZKI: b: 5 g, t: 9 g, w: 30 g, kJ: 978, kcal: 234, jch: 2,5
CZAS PRZYRZĄDZANIA: 40 minut, nie licząc czasu studzenia
CZAS PIECZENIA: 25–30 minut

Z ALKOHOLEM

NA WIŚNIOWE NADZIENIE

łyżka mąki ziemniaczanej
2 łyżki cukru
4 łyżki wiśniówki
350 g odsączonych wiśni (ze słoika)
6 łyżek soku wiśniowego (ze słoika)

NA CIASTO PARZONE

250 ml wody
50 g masła
łyżeczka cukru
120 g mąki pszennej
2 szczypty soli
4 jajka (klasy M)

NA WIERZCH

500 ml mleka (1,5% tłuszczu)
2 opakowania szwarcwaldzkiego kremu wiśniowego (sproszkowanego deseru)
2–3 łyżki wiórków czekoladowych
łyżka cukru pudru

DODATKOWO

masło i mąka do przygotowania formy
12 papilotek (papierowych foremek) do muffinek

1. Mąkę ziemniaczaną wymieszać z cukrem i wiśniówką. Wiśnie i sok wiśniowy doprowadzić do wrzenia w garnuszku na średnim ogniu. Dodać mąkę z cukrem i wiśniówką, zagotować, mieszając, i pozostawić do wystygnięcia.

2. Zagłębienia w formie do 12 muffinek grubo posmarować masłem, a następnie wysypać mąką.

3. Rozgrzać piekarnik.
Grzałka górna/dolna: 200°C
Termoobieg: 180°C

4. Wodę zagotować z masłem i cukrem w rondelku. Mąkę z solą wsypać do zdjętego z ognia płynu, wymieszać na gładką masę i cały czas mieszając, podgrzewać minutę. Gorącą masę natychmiast przełożyć do miski i pozostawić na 10 minut do przestygnięcia.

5. Następnie stopniowo dodawać jajka i miksować mikserem z końcówkami do mieszania na najwyższych obrotach.

6. Ciastem wypełnić szpryckę bez końcówki i rozprowadzić równomiernie w zagłębieniach formy. Wstawić na ruszt do rozgrzanego piekarnika. **Piec 25–30 minut**, nie otwierając piekarnika!

7. Natychmiast po upieczeniu babeczki wyjąć z formy i z każdej odkroić wierzch. Pozostawić na kratce kuchennej do wystygnięcia.

8. Spody babeczek włożyć do papilotek i równomiernie wypełnić wiśniowym nadzieniem.

9. Z mleka i sproszkowanego deseru przyrządzić krem zgodnie z instrukcją na opakowaniu.

10. Kremem napełnić szprycę z gwiaździstą końcówką (średnica 15 mm) i wycisnąć na wiśnie duże kleksy.

11. Posypać wiórkami czekoladowymi. Przykryć tak, aby nie wycisnąć kremu i wstawić co najmniej na godzinę do lodówki.

12. Przed podaniem przykryć babeczki odkrojonymi wierzchami i posypać cukrem pudrem.

Rady: Wiśniowe nadzienie można również przyrządzić bez alkoholu: wiśniówkę należy wówczas zastąpić taką samą ilością soku wiśniowego.

Zamiast szwarcwaldzkiego kremu wiśniowego można wypełnić babeczki 600 g śmietanki kremówki (co najmniej 30% tłuszczu). Należy ją ubić na sztywno z 2 opakowaniami zagęstnika do śmietany i 2 łyżkami cukru, a następnie wycisnąć na wiśnie.

12 BABECZKI Z WIŚNIAMI I KRUSZONKĄ 12 SZTUK

ZAWARTOŚĆ JEDNEJ BABECZKI: b: 6 g, t: 11 g, w: 34 g, kJ: 1114, kcal: 267, jch: 3,0
CZAS PRZYRZĄDZANIA: 40 minut, nie licząc czasu studzenia
CZAS PIECZENIA: 30 minut

CHRUPIĄCE

NA KRUSZONKĘ

220 g mąki orkiszowej (typ 630)
½ łyżeczki cynamonu
szczypta soli
na czubek noża proszku do pieczenia
100 g brązowego cukru
120 g masła lub margaryny (o temperaturze pokojowej)

NA NADZIENIE

350 g odsączonych wiśni (ze słoika)
300 ml soku wiśniowego (ze słoika)
15 g mąki ziemniaczanej
20 g cukru

NA WIERZCH

250 g chudego twarożku
15 g cukru pudru
100 g śmietanki kremówki (co najmniej 30% tłuszczu)

DODATKOWO

24 papilotki (papierowe foremki) do muffinek

---

1. Każde zagłębienie w formie do 12 muffinek wyłożyć 2 papilotkami.

2. Rozgrzać piekarnik.
Grzałka górna/dolna: 180°C
Termoobieg: 160°C

3. Mąkę orkiszową wymieszać w misce z cynamonem, solą i proszkiem do pieczenia. Dodać cukier i masło lub margarynę. Wyrobić na grubą kruszonkę mikserem z końcówkami do mieszania, najpierw na najniższych, a potem na najwyższych obrotach.

4. Podzielić na dwie równe porcje i jedną odłożyć. Z drugiej porcji do każdej foremki włożyć po łyżce ciasta i ugnieść. Wstawić na ruszt do rozgrzanego piekarnika. **Piec 12 minut na złotobrązowy kolor.**

5. Odsączyć wiśnie i odmierzyć 300 ml soku. Mąkę ziemniaczaną wymieszać z cukrem i 4 łyżkami soku wiśniowego. Resztę soku zagotować, zdjąć z ognia. Mąkę ziemniaczaną z cukrem i sokiem wiśniowym dodać do soku zdjętego z ognia i zagotować. Wrzucić wiśnie, odkładając 12 sztuk do przybrania.

6. Resztę soku równomiernie rozprowadzić na upieczonej kruszonce. Na to wyłożyć pozostałą kruszonkę. Ponownie wstawić na ruszt do gorącego piekarnika. **Piec w tej samej temperaturze 18 minut.**

7. Wyłożyć na kratkę kuchenną. Po 5 minutach babeczki wyjąć z formy i pozostawić na kratce do wystygnięcia.

8. Twarożek wymieszać w misce z cukrem pudrem na gładką masę. Śmietankę ubić na sztywno i dodać do twarożku, mieszając trzepaczką.

9. Na krótko przed podaniem krem twarożkowy wyłożyć łyżką na babeczki i każdą przybrać jedną wiśnią.

Rada: Babeczki z wiśniami i kruszonką można też piec w małych foremkach do sufletu.

14 BABECZKI AGRESTOWE 12 SZTUK

ZAWARTOŚĆ JEDNEJ BABECZKI: b: 5 g, t: 21 g, w: 33 g, kJ: 1419, kcal: 339, jch: 2,5
CZAS PRZYRZĄDZANIA: 40 minut, nie licząc czasu studzenia
CZAS PIECZENIA: 25–30 minut

BOSKIE

NA CIASTO

150 g masła lub margaryny (o temperaturze pokojowej)
120 g cukru
opakowanie cukru z prawdziwą wanilią (8,5 g)
szczypta soli
3 jajka (klasy M)
120 g mąki pszennej
80 g obranych ze skórki i zmielonych migdałów
1½ płaskiej łyżeczki proszku do pieczenia Dr. Oetkera
250 g odsączonego agrestu (ze słoika)

NA WIERZCH

200 g śmietanki kremówki (co najmniej 30% tłuszczu)
łyżeczka cukru
opakowanie zagęstnika do śmietany
18 sztuk (100 g) bezików (gotowych, ze sklepu)
100 g odsączonego agrestu (ze słoika)
kilka świeżych listków mięty pieprzowej

DODATKOWO

12 papilotek (papierowych foremek) do muffinek

1. Zagłębienia w formie do 12 muffinek wyłożyć papilotkami.

2. Rozgrzać piekarnik.
Grzałka górna/dolna: 180°C
Termoobieg: 160°C

3. Masło lub margarynę utrzeć w misce z cukrem, cukrem waniliowym i solą mikserem z końcówkami do ubijania, najpierw chwilę na najniższych, a następnie 4 minuty na najwyższych obrotach. Stopniowo dodawać jajka (każde jajko miksować pół minuty).

4. Mąkę wymieszać dokładnie z migdałami i proszkiem do pieczenia. Dodać do masy jajecznej. Ostrożnie wsypać agrest.

5. Ciastem wypełnić zagłębienia w formie. Wstawić na ruszt do rozgrzanego piekarnika. **Piec 25–30 minut.**

6. Wyłożyć na kratkę kuchenną. Po 5 minutach babeczki wyjąć z formy i pozostawić na kratce do wystygnięcia.

7. Śmietankę ubić na sztywno z cukrem i zagęstnikiem. Przełożyć do szprycki ze średniej wielkości końcówką. Sześć bezików przepołowić. Każdą babeczkę przybrać bitą śmietaną i 1½ bezika. Na koniec udekorować agrestem oraz opłukanymi i osuszonymi listkami mięty.

16 BABECZKI TRUSKAWKOWE 12 SZTUK

ZAWARTOŚĆ JEDNEJ BABECZKI: b: 5 g, t: 29 g, w: 36 g, kJ: 1812, kcal: 433, jch: 3,0
CZAS PRZYRZĄDZANIA: 35 minut, nie licząc czasu studzenia
CZAS PIECZENIA: 30 minut

MUŚNIĘCIE LATA

NA CIASTO

2 białka (klasy M)
szczypta soli
opakowanie cukru wanilinowego Dr. Oetkera (8,4 g)
180 g cukru
2 żółtka (klasy M)
jajko (klasy M)
220 g masła lub margaryny (o temperaturze pokojowej)
200 g mąki pszennej
1½ płaskiej łyżeczki proszku do pieczenia Dr. Oetkera
na czubek noża sody oczyszczonej
100 g jogurtu

NA WIERZCH

500 g truskawek
50 g bezików (gotowych, ze sklepu)
2 opakowania zagęstnika do śmietany
250 g serka mascarpone
100 g śmietanki kremówki (co najmniej 30% tłuszczu)
50 g jogurtu (3,5% tłuszczu)
kilka listków mięty lub melisy do przybrania

DODATKOWO

12 papilotek (papierowych foremek) do muffinek

---

1. Zagłębienia w formie do 12 muffinek wyłożyć papilotkami.

2. Rozgrzać piekarnik.
Grzałka górna/dolna: 180°C
Termoobieg: 160°C

3. Białka ubić na sztywno z solą. Pianę ubijać dalej 3 minuty, stopniowo dosypując cukier wanilinowy i połowę cukru.

4. W drugiej misce utrzeć na puszystą masę żółtka z jajkiem, masłem lub margaryną i resztą cukru. Mąkę wymieszać z proszkiem do pieczenia i sodą oczyszczoną, a następnie dodawać do masy na zmianę z jogurtem. W dwóch porcjach domieszać pianę, miksując chwilę na najniższych obrotach. Ciastem wypełnić zagłębienia w formie. Wstawić na ruszt do rozgrzanego piekarnika. **Piec 30 minut.**

5. Wyłożyć na kratkę kuchenną. Po 5 minutach babeczki wyjąć z formy i pozostawić na kratce do wystygnięcia.

6. Truskawki odszypułkować, opłukać i osuszyć. Sześć sztuk odłożyć do przybrania, a resztę pokroić na małe kawałki. Beziki grubo posiekać, a następnie rozkruszyć i wymieszać z truskawkami i zagęstnikiem do śmietany. Mascarpone ubić na sztywno ze śmietanką. Połowę wymieszać z masą truskawkową i nożem rozsmarować na babeczkach.

7. Do pozostałej śmietanki z mascarpone dodać jogurt i wymieszać. Krem przełożyć do szprycki z gwiaździstą końcówką (średnica 10 mm). Na każdej babeczce zrobić kleks z kremu i przybrać połową truskawki oraz listkiem mięty lub melisy. Podawać natychmiast.

18 BABECZKI ŚLIWKOWE 12 SZTUK

ZAWARTOŚĆ JEDNEJ BABECZKI: b: 4 g, t: 13 g, w: 25 g, kJ: 958, kcal: 229, jch: 2,0
CZAS PRZYRZĄDZANIA: 40 minut, nie licząc czasu rośnięcia i studzenia
CZAS PIECZENIA: 25–30 minut

PUSZYSTE DZIĘKI DROŻDŻOM

6 dużych śliwek (450 g)

NA CIASTO

220 g mąki pszennej

21 g świeżych drożdży

140 ml mleka (1,5% tłuszczu, o temperaturze pokojowej)

30 g cukru

2 szczypty soli

żółtko (klasy M)

50 g masła (o temperaturze pokojowej)

2 łyżki posiekanych orzechów laskowych do posypania

NA WIERZCH

3 łyżki cukru

łyżeczka cynamonu

250 g śmietanki kremówki (co najmniej 30% tłuszczu)

kilka listków melisy

DODATKOWO

12 papilotek (papierowych foremek) do muffinek

---

1. Zagłębienia w formie do 12 muffinek wyłożyć papilotkami.

2. Śliwki umyć, osuszyć, przepołowić, wypestkować i każdą połówkę przekroić na 4 cząstki.

3. Mąkę wsypać do miski i pośrodku zrobić zagłębienie. Wkruszyć drożdże, wymieszać z odrobiną mleka i cukru, odstawić pod przykryciem na 15 minut.

4. Następnie dodać pozostałe składniki i wyrobić na gładkie ciasto mikserem z końcówkami do mieszania, najpierw chwilę na najniższych, a potem 5 minut na najwyższych obrotach. Przykryć i odstawić na 30 minut w ciepłe miejsce, aż ciasto zwiększy swoją objętość.

5. Rozgrzać piekarnik.
Grzałka górna/dolna: 180°C
Termoobieg: 160°C

6. Posługując się dwiema łyżkami, wypełnić ciastem zagłębienia w formie. W każdą babeczkę wcisnąć 4 cząstki śliwek i posypać posiekanymi orzechami. Przykryć i ponownie odstawić na 30 minut w ciepłe miejsce, aż babeczki zwiększą swoją objętość.

7. Wstawić na ruszt do rozgrzanego piekarnika. **Piec 25–30 minut.**

8. Wyłożyć na kratkę kuchenną. Po 5 minutach babeczki wyjąć z formy i pozostawić na kratce do wystygnięcia.

9. Cukier wymieszać z cynamonem. Śmietankę ubić na sztywno z łyżką cynamonowego cukru.

10. Przed podaniem na każdą babeczkę wyłożyć łyżkę śmietanki i posypać pozostałym cynamonowym cukrem. Przybrać opłukanymi i osuszonymi listkami melisy.

20 BABECZKI LAWENDOWO-JAGODOWE <small>12 SZTUK</small>

ZAWARTOŚĆ JEDNEJ BABECZKI: b: 5 g, t: 11 g, w: 34 g, kJ: 1089, kcal: 261, jch: 3,0
CZAS PRZYRZĄDZANIA: 40 minut, nie licząc czasu studzenia
CZAS PIECZENIA: 25–30 minut

ULUBIONY KOLOR? – LILIOWY!

DO PRZYGOTOWANIA

80 g masła lub margaryny
½ łyżeczki świeżych kwiatów lawendy (niepryskanych)

NA CIASTO

280 g maślanki
120 g cukru
2 jajka (klasy M)
220 g mąki pszennej
1½ płaskiej łyżeczki proszku do pieczenia Dr. Oetkera
na czubek noża sody oczyszczonej
150 g mrożonych jagód

NA WIERZCH

200 g twarożku śmietankowego (o temperaturze pokojowej)
100 g cukru pudru
po kilka kropli czerwonego i niebieskiego barwnika spożywczego

DO PRZYBRANIA

12 niepryskanych kwiatów lawendy

DODATKOWO

12 papilotek (papierowych foremek) do muffinek

---

1. Masło lub margarynę roztopić i lekko przestudzić. Kwiaty lawendy opłukać, osuszyć i drobno posiekać. Zagłębienia w formie do 12 muffinek wyłożyć papilotkami.

2. Rozgrzać piekarnik.
Grzałka górna/dolna: 180°C
Termoobieg: 160°C

3. Maślankę wlać do miski. Dodać cukier, jajka i roztopione masło lub margarynę, a następnie dokładnie wymieszać trzepaczką.

4. Mąkę wymieszać z proszkiem do pieczenia, sodą oczyszczoną i kwiatami lawendy, dodać do masy maślankowej. Na koniec ostrożnie wsypać zamrożone jagody.

5. Ciasto rozprowadzić równomiernie w zagłębieniach formy. Wstawić na ruszt do rozgrzanego piekarnika. **Piec 25–30 minut.**

6. Wyłożyć na kratkę kuchenną. Po 5 minutach babeczki wyjąć z formy i pozostawić na kratce do wystygnięcia.

7. Twarożek z cukrem pudrem i barwnikiem spożywczym ubić na liliowy krem mikserem z końcówkami do ubijania na średnich obrotach.

8. Krem rozdzielić na babeczki i wygładzić nożem. Kwiaty lawendy opłukać i osuszyć, przybrać nimi babeczki.

Rady: Z tej ilości ciasta można też upiec 24 małe babeczki. Czas pieczenia skróci się wówczas do 20 minut.
Jeśli nie uda się dostać świeżych kwiatów lawendy, można przyrządzić ciasto z suszonymi kwiatami, którymi można również posypać wierzch.

22 BABECZKI MORELOWO-SZAFRANOWE 12 SZTUK

ZAWARTOŚĆ JEDNEJ BABECZKI: b: 7 g, t: 32 g, w: 39 g, kJ: 1971, kcal: 471, jch: 3,5
CZAS PRZYRZĄDZANIA: 40 minut, nie licząc czasu studzenia
CZAS PIECZENIA: 30 minut

UWODZĄ SŁONECZNĄ BARWĄ

NA CIASTO

200 g masła lub margaryny (o temperaturze pokojowej)
2 łyżki oleju
180 g cukru
szczypta soli
3 jajka (klasy M)
200 g mąki pszennej
30 g mąki ziemniaczanej
2 płaskie łyżeczki proszku do pieczenia Dr. Oetkera
100 g jogurtu (3,5% tłuszczu)
opakowanie mielonego szafranu (0,1 g)

NA WIERZCH

250 g odsączonych połówek moreli (z puszki)
2 opakowania zagęstnika do śmietany
70 g masła (o temperaturze pokojowej)
50 g cukru pudru
350 g twarożku śmietankowego

DODATKOWO

12 papilotek (papierowych foremek) do muffinek

---

1. Zagłębienia w formie do 12 muffinek wyłożyć papilotkami.

2. Rozgrzać piekarnik.
Grzałka górna/dolna: 180°C
Termoobieg: 160°C

3. Masło lub margarynę i olej utrzeć na pulchną masę mikserem z końcówkami do ubijania na najwyższych obrotach. Stopniowo dosypywać cukier i sól. Mieszać, aż powstanie jednolita masa.

4. Stopniowo dodawać jajka (każde jajko miksować pół minuty). Mąkę pszenną wymieszać z mąką ziemniaczaną i proszkiem do pieczenia. Jogurt wymieszać z szafranem. Mąkę i jogurt dodawać na zmianę w dwóch porcjach do masy, miksując na średnich obrotach.

5. Ciasto rozprowadzić równomiernie w zagłębieniach formy. Wstawić na ruszt do rozgrzanego piekarnika. **Piec 30 minut.**

6. Wyłożyć na kratkę kuchenną. Po 5 minutach babeczki wyjąć z formy i pozostawić na kratce do wystygnięcia.

7. Odłożyć 8 połówek moreli do przybrania. Pozostałe wymieszać z zagęstnikiem, a następnie zmiksować.

8. Masło z cukrem pudrem ubić na kremową masę mikserem z końcówkami do ubijania. Dodawać po łyżce twarożek, a następnie stopniowo morelowe purée, wymieszać.

9. Kremem twarożkowym wypełnić szprycę z okrągłą końcówką (średnica 12–15 mm). Na każdą babeczkę wycisnąć duży kleks. Odłożone połówki moreli pokroić na małe kawałki i ułożyć na kremie, lekko wciskając.

24 BABECZKI Z POPCORNEM 12 SZTUK

ZAWARTOŚĆ JEDNEJ BABECZKI: b: 6 g, t: 27 g, w: 31 g, kJ: 1633, kcal: 390, jch: 2,5
CZAS PRZYRZĄDZANIA: 50 minut, nie licząc czasu studzenia
CZAS PIECZENIA: 25–30 minut

CZEKOLADOWE I BEZGLUTENOWE

DO PRZYGOTOWANIA
250 g osączonych połówek brzoskwiń (z puszki)

NA CIASTO
150 g masła lub margaryny
(o temperaturze pokojowej)
120 g cukru
3 jajka (klasy M)
120 g mąki kukurydzianej
80 g obranych ze skórki i zmielonych migdałów
1½ płaskiej łyżeczki proszku do pieczenia Dr. Oetkera
60 ml soku brzoskwiniowego (z puszki)

NA WIERZCH
50 g kukurydzy na popcorn (lub gotowego popcornu)
2 łyżki oleju o neutralnym smaku
20 g tłuszczu kokosowego
100 g półgorzkiej czekolady (50% kakao)
200 g śmietanki kremówki (co najmniej 30% tłuszczu)
łyżeczka cukru
opakowanie zagęstnika do śmietany

DODATKOWO
12 papilotek (papierowych foremek) do muffinek

---

1. Odsączyć brzoskwinie i zebrany sok odstawić. Połówki owoców pokroić w centymetrową kostkę.

2. Zagłębienia w formie do 12 muffinek wyłożyć papilotkami.

3. Rozgrzać piekarnik.
Grzałka górna/dolna: 180°C
Termoobieg: 160°C

4. Masło lub margarynę i cukier ucierać w misce na puszystą masę mikserem z końcówkami do ubijania, najpierw chwilę na najniższych, a potem 4 minuty na najwyższych obrotach. Stopniowo dodawać jajka (każde jajko miksować pół minuty).

5. Mąkę kukurydzianą wymieszać z migdałami i proszkiem do pieczenia, dodać do masy. Ostrożnie wrzucić pokrojone w kostkę brzoskwinie.

6. Ciastem równomiernie wypełnić zagłębienia w formie. Wstawić do rozgrzanego piekarnika. **Piec 25 minut.**

7. Wyłożyć na kratkę kuchenną. Jeszcze gorące babeczki posmarować pędzelkiem 60 ml soku brzoskwiniowego. Po 10 minutach wyjąć z formy i pozostawić na kratce do wystygnięcia.

8. Kukurydzę z olejem podgrzać w dużym przykrytym garnku. Kiedy ziarna zaczną pękać, wyłączyć gaz.

9. Tłuszcz kokosowy i czekoladę pokroić na małe kawałki. Dwie trzecie roztopić w garnuszku w kąpieli wodnej na małym ogniu, mieszając. Zdjąć z ognia, wrzucić resztę tłuszczu i czekolady, po czym mieszając, roztopić.

10. Śmietankę ubić na sztywno z cukrem i zagęstnikiem do śmietany. Łyżką rozłożyć na babeczkach. Popcorn wrzucić do masy czekoladowo-kokosowej i dobrze wymieszać. Jeszcze wilgotny nałożyć na babeczki.

11. Wstawić na 10 minut do lodówki, a potem podawać.

Rada: Ponieważ popcorn po pewnym czasie mięknie, babeczki powinno się podawać możliwie świeże.

26 MINIATUROWE BABECZKI Z KASZĄ MANNĄ 24 SZTUKI

ZAWARTOŚĆ JEDNEJ BABECZKI: b: 2 g, t: 7 g, w: 14 g, kJ: 537, kcal: 128, jch: 1,0
CZAS PRZYRZĄDZANIA: 40 minut, nie licząc czasu chłodzenia
CZAS PIECZENIA: 20 minut

DO POPOŁUDNIOWEJ KAWY

NA CIASTO

150 g masła lub margaryny
(o temperaturze pokojowej)

80 g cukru

3 łyżki płynnego miodu

szczypta soli

3 jajka (klasy M)

80 g jogurtu waniliowego

100 g mąki pszennej

100 g kaszy manny

płaska łyżeczka proszku do pieczenia Dr. Oetkera

NA WIERZCH

220 ml mleka (1,5% tłuszczu)

45 g kaszy manny w proszku o smaku waniliowym
(Słodka Chwila)

25 g masła

12 truskawek

DODATKOWO

24 małe papilotki (papierowe foremki) do muffinek

1. Zagłębienia w formie do 24 muffinek wyłożyć papilotkami.

2. Rozgrzać piekarnik.
Grzałka górna/dolna: 180°C
Termoobieg: 160°C

3. Masło lub margarynę, cukier, miód i sól wrzucić do miski. Ucierać na puszystą masę mikserem z końcówkami do ubijania, najpierw chwilę na najniższych, a potem 4 minuty na najwyższych obrotach. Stopniowo dodawać jajka (każde jajko miksować pół minuty), na koniec domieszać jogurt waniliowy. Mąkę wymieszać dokładnie z kaszą manną i proszkiem do pieczenia, dodać do masy jajecznej, wymieszać.

4. Ciastem równomiernie wypełnić zagłębienia w formie. Wstawić na ruszt do rozgrzanego piekarnika. **Piec 20 minut.**

5. Wyłożyć na kratkę kuchenną. Po 5 minutach babeczki wyjąć z formy i pozostawić na kratce do wystygnięcia.

6. Z mleka i kaszy manny w proszku przyrządzić kaszkę zgodnie z instrukcją na opakowaniu, lecz z podanymi tu ilościami. Lekko przestudzić. Masło pokroić na małe kawałki, wrzucić do kaszy i tak długo mieszać, aż się roztopi. Przykryć i wstawić na 15 minut do lodówki.

7. Kaszą napełnić szpryckę z okrągłą końcówką (średnica 10 mm). Na każdą babeczkę wycisnąć kleks. Truskawki opłukać, osuszyć i przekroić na pół razem z szypułką. Każdą babeczkę przybrać jedną połówką.

Rady: Ciasto można łatwiej rozprowadzić w zagłębieniach formy, jeśli napełni się nim torebkę foliową, odetnie rożek i w ten sposób wyciśnie do formy.

28 BABECZKI Z KISIELEM Z CZERWONYCH OWOCÓW 12 SZTUK

ZAWARTOŚĆ JEDNEJ BABECZKI: b: 7 g, t: 31 g, w: 34 g, kJ: 1827, kcal: 436, jch: 3,0
CZAS PRZYRZĄDZANIA: 35 minut, nie licząc czasu chłodzenia
CZAS PIECZENIA: 25–30 minut

CZEKOLADOWA ROZKOSZ

DO PRZYGOTOWANIA

280 g białej czekolady
350 g śmietanki kremówki (co najmniej 30% tłuszczu)

NA CIASTO

150 g masła lub margaryny (o temperaturze pokojowej)
szczypta soli
120 g cukru
3 jajka (klasy M)
60 g kwaśnej śmietany
120 g mąki pszennej
80 g obranych ze skórki i zmielonych migdałów
1½ płaskiej łyżeczki proszku do pieczenia Dr. Oetkera

NA WIERZCH

300 g kisielu z czerwonych owoców

DODATKOWO

12 papilotek (papierowych foremek) do muffinek

1. Z czekolady zetrzeć 4 łyżki wiórków i odłożyć. Resztę czekolady pokroić na duże kawałki.

2. Śmietankę zagotować w garnuszku. Zdjąć z ognia i mieszając, roztopić w niej kawałki czekolady. Przestudzić pod przykryciem, a następnie wstawić na 3 godziny do lodówki.

3. Zagłębienia w formie do 12 muffinek wyłożyć papilotkami.

4. Rozgrzać piekarnik.
Grzałka górna/dolna: 180°C
Termoobieg: 160°C

5. Masło z solą i cukrem ucierać na puszystą masę mikserem z końcówkami do ubijania, najpierw chwilę na najniższych, a potem 4 minuty na najwyższych obrotach. Stopniowo dodawać jajka (każde jajko miksować pół minuty). Na koniec domieszać kwaśną śmietanę.

6. Mąkę wymieszać dokładnie z migdałami i proszkiem do pieczenia. Dodać do masy, wymieszać.

7. Ciasto rozprowadzić równomiernie w zagłębieniach formy. Wstawić na ruszt do rozgrzanego piekarnika. **Piec 25–30 minut.**

8. Wyłożyć na kratkę kuchenną. Po 5 minutach babeczki wyjąć z formy i pozostawić na kratce do wystygnięcia.

9. Każdą babeczkę wydrążyć łyżeczką na głębokość 2½ cm.

10. Czekoladową śmietankę ubić na sztywno i przełożyć do szprycki z gładką końcówką (średnica 10 mm).

11. Babeczki wypełnić kisielem z czerwonych owoców i wycisnąć na nie gruby kleks z czekoladowej śmietanki. Posypać wiórkami czekoladowymi i ostrożnie przykryć, tak żeby nie rozgnieść dekoracji. Wstawić na godzinę do lodówki.

30 BABECZKI CYTRYNOWO-BEZOWE 12 SZTUK

ZAWARTOŚĆ JEDNEJ BABECZKI: b: 4 g, t: 13 g, w: 32 g, kJ: 1084, kcal: 259, jch: 2,5
CZAS PRZYRZĄDZANIA: 40 minut, nie licząc czasu studzenia
CZAS PIECZENIA: 25–30 minut i 3–4 minuty na zrumienienie bezików

MUŚNIĘTE CYTRYNĄ

cytryna (niepryskana i niewoskowana)
2 średniej wielkości gałązki rozmarynu

NA CIASTO

150 g masła lub margaryny (o temperaturze pokojowej)
120 g cukru
szczypta soli
2 jajka (klasy M)
2 żółtka (klasy M)
4 łyżki mleka
160 g mąki pszennej
płaska łyżeczka proszku do pieczenia Dr. Oetkera

DO DEKORACJI

2 białka (klasy M)
100 g cukru
60 g lemon curd (angielskiego kremu cytrynowego ze słoika)
gałązka rozmarynu

DODATKOWO

12 papilotek (papierowych foremek) do muffinek

---

1. Cytrynę umyć pod gorącą wodą, osuszyć i na tarce o małych otworach zetrzeć skórkę. Przepołowić i wycisnąć sok. Rozmaryn opłukać, osuszyć i oskubać z gałązek listki, a następnie drobno je posiekać.

2. Zagłębienia w formie do 12 muffinek wyłożyć papilotkami.

3. Rozgrzać piekarnik.
Grzałka górna/dolna: 180°C
Termoobieg: 160°C

4. Masło lub margarynę utrzeć na gładką masę mikserem z końcówkami do ubijania na najwyższych obrotach. Dodać cukier, skórkę z cytryny, posiekany rozmaryn i sól. Miksować najpierw chwilę na najniższych, a następnie 4 minuty na najwyższych obrotach. Stopniowo dodawać jajka i żółtka oraz mleko.

5. Mąkę połączyć z proszkiem do pieczenia, dodać do masy jajecznej i wymieszać. Ciastem wypełnić równomiernie zagłębienia w formie. Wstawić na ruszt do rozgrzanego piekarnika. **Piec 25–30 minut.**

6. Wyłożyć na kratkę kuchenną. **Zwiększyć temperaturę piekarnika do 240°C** (dotyczy zarówno grzałki górnej/dolnej, jak i termoobiegu).

7. Sok z cytryny dopełnić wodą do 50 ml i posmarować gorące babeczki. Po 5 minutach wyjąć z formy i pozostawić na kratce do wystygnięcia.

8. Białka ubić na sztywno mikserem z końcówkami do ubijania na najwyższych obrotach. Piana musi być tak sztywna, żeby było widać na niej ślad cięcia nożem. Stopniowo dosypywać cukier i ubijać, aż piana zacznie mocno lśnić. Przełożyć do szprycki z dużą gwiaździstą końcówką. Na każdą babeczkę wycisnąć duży pierścień. Babeczki postawić na blasze i wsunąć do gorącego piekarnika (środkowy poziom). Rumienić 3–4 minuty.

9. Wyjąć i pozostawić na kratce kuchennej do wystygnięcia.

10. Lemon curd rozmieszać na gładką masę. W każdy bezowy pierścień włożyć łyżeczkę kremu. Rozmaryn opłukać, osuszyć i oskubać z gałązek listki. Przybrać nimi babeczki i natychmiast podawać.

BABECZKI Z KOKTAJLEM OWOCOWYM 12 SZTUK

ZAWARTOŚĆ JEDNEJ BABECZKI: b: 4 g, t: 10 g, w: 17 g, kJ: 735, kcal: 176, jch: 1,5
CZAS PRZYRZĄDZANIA: 50 minut, nie licząc czasu chłodzenia
CZAS PIECZENIA: 20–25 minut

PUSZYSTE I LEKKIE

NA CIASTO BISZKOPTOWE

4 jajka (klasy M)
szczypta soli
100 g cukru
80 g mąki pszennej
60 g obranych ze skórki i zmielonych migdałów

DO DEKORACJI

5 listków białej żelatyny (5 g)
250 ml koktajlu owocowego (smoothie, o temperaturze pokojowej)
250 g śmietanki kremówki (co najmniej 30% tłuszczu)
łyżka cukru

DO PRZYBRANIA

odrobina cukru pudru
12 małych dekoracyjnych kwiatków z jadalnego papieru

DODATKOWO

12 papilotek (papierowych foremek) do muffinek

---

1. Zagłębienia w formie do 12 muffinek wyłożyć papilotkami.

2. Rozgrzać piekarnik.
Grzałka górna/dolna: 180°C
Termoobieg: 160°C

3. Jajka ubijać minutę mikserem z końcówkami do ubijania na najwyższych obrotach. Kolejną minutę dosypywać sól i cukier, a następnie ubijać jeszcze 4 minuty.

4. Mąkę połączyć z migdałami, dodać do ubitych jajek i wymieszać trzepaczką. Ciastem wypełnić równomiernie zagłębienia w formie. Wstawić na ruszt do rozgrzanego piekarnika. **Piec 20–25 minut.**

5. Wyłożyć na kratkę kuchenną. Po 5 minutach babeczki wyjąć z formy i pozostawić na kratce do wystygnięcia.

6. Z każdej babeczki odkroić nożem z karbowanym ostrzem wierzch grubości ½ cm i odłożyć. Każdą babeczkę ostrożnie wydrążyć łyżeczką mniej więcej w jednej trzeciej.

7. Żelatynę namoczyć zgodnie z instrukcją na opakowaniu. Lekko odcisnąć i rozpuścić w garnuszku na małym ogniu, mieszając. Wymieszać najpierw z 6 łyżkami, a następnie z resztą koktajlu owocowego. Wstawić do lodówki i od czasu do czasu zamieszać.

8. Śmietankę ubić na sztywno z cukrem. Kiedy koktajl zacznie tężeć, ostrożnie dodać śmietankę, mieszając trzepaczką. Masę włożyć do szprycki z gładką końcówką (średnica 15 mm), wypełnić babeczki i nałożyć wierzchy. Przykryć i wstawić na 2 godziny do lodówki.

9. Posypać cukrem pudrem i przybrać papierowymi kwiatkami.

34 SERNICZKI Z KREMEM CYTRYNOWYM 12 SZTUK

ZAWARTOŚĆ JEDNEJ BABECZKI: b: 7 g, t: 17 g, w: 21 g, kJ: 1123, kcal: 270, jch: 2,0
CZAS PRZYRZĄDZANIA: 40 minut, nie licząc czasu studzenia
CZAS PIECZENIA: 20–25 minut

ORZEŹWIAJĄCE

DO PRZYGOTOWANIA

duża cytryna (150 g) (niepryskana i niewoskowana)

NA SERNIKOWY WIERZCH

100 g pełnoziarnistych herbatników maślanych

70 g masła

3 jajka (klasy M)

120 g cukru

200 g twarożku śmietankowego (o temperaturze pokojowej)

łyżka mąki ziemniaczanej

200 g chudego twarożku

NA WIERZCH

200 g twarożku śmietankowego (o temperaturze pokojowej)

60 g lemon curd (angielskiego kremu cytrynowego ze słoika)

DODATKOWO

12 papilotek (papierowych foremek) do muffinek

1. Cytrynę umyć pod gorącą wodą i osuszyć. Przekroić na pół. Jedną połówkę odłożyć do przybrania, z drugiej na tarce o małych otworach zetrzeć skórkę, a następnie wycisnąć sok.

2. Zagłębienia w formie do 12 muffinek wyłożyć papilotkami.

3. Rozgrzać piekarnik.
Grzałka górna/dolna: 180°C
Termoobieg: 160°C

4. Herbatniki włożyć do torebki foliowej i starannie zamknąć. Wałkiem do ciasta rozgnieść na drobne okruszki
i przesypać do miski. Masło roztopić w garnuszku i dodać
do okruszków. Dokładnie wymieszać. Rozłożyć równomiernie w foremkach do muffinek i grzbietem łyżeczki ostrożnie
ugnieść, tworząc płaski spód.

5. Jajka ubijać minutę mikserem z końcówkami do ubijania
na najwyższych obrotach. Dosypać cukier i ubijać jeszcze
4 minuty.

6. Twarożki wymieszać z sokiem z cytryny i mąką ziemniaczaną na gładką masę. Dodać do masy jajecznej.

7. Masę sernikową rozprowadzić równomiernie w zagłębieniach formy. Wstawić na ruszt do rozgrzanego piekarnika. **Piec 20–25 minut.**

8. Wyłożyć na kratkę kuchenną. Po 10 minutach babeczki
wyjąć z formy i pozostawić na kratce do wystygnięcia.

9. Twarożek śmietankowy na wierzch rozmieszać na gładką masę. Dodać lemon curd w taki sposób, żeby powstało
marmurkowanie. Na każdej babeczce zrobić łyżeczką kleks
z kremu. Odłożoną połówkę cytryny pokroić w plasterki,
a każdy plasterek na ćwiartki. Każdą babeczkę przybrać
jedną ćwiartką.

Wariant: Masę sernikową można aromatyzować świe-
żym tymiankiem. W tym celu należy opłukać i osuszyć
2–3 gałązki tymianku, a następnie oskubać listki. Połowę
listków grubo posiekać i na koniec dodać do masy serniko-
wej. Gotowe babeczki posypać pozostałymi listkami.

36 BABECZKI Z LIMONKĄ <small>12 SZTUK</small>

ZAWARTOŚĆ JEDNEJ BABECZKI: b: 3 g, t: 31 g, w: 46 g, kJ: 2031, kcal: 486, jch: 4,0
CZAS PRZYRZĄDZANIA: 35 minut, nie licząc czasu studzenia
CZAS PIECZENIA: 30 minut

ŚWIEŻE, ZIELONE I OSZAŁAMIAJĄCE

NA CIASTO

limonka (niepryskana i niewoskowana)
2 białka (klasy M)
szczypta soli
180 g brązowego cukru
jajko (klasy M)
2 żółtka (klasy M)
180 g masła lub margaryny (o temperaturze pokojowej)
3 łyżki oleju
180 g mąki pszennej
40 g mąki ziemniaczanej
płaska łyżeczka proszku do pieczenia Dr. Oetkera
4 łyżki brązowego rumu

NA WIERZCH

50 ml syropu z cytryny i limonki
200 ml zimnej wody
20 g mąki ziemniaczanej
200 g masła (o temperaturze pokojowej)
150 g cukru pudru
ewentualnie odrobina zielonego barwnika spożywczego
pół limonki (niepryskanej i niewoskowanej)
odrobina drobnego cukru

DODATKOWO

12 papilotek (papierowych foremek) do muffinek

---

1. Zagłębienia w formie do 12 muffinek wyłożyć papilotkami. Rozgrzać piekarnik.
Grzałka górna/dolna: 180°C
Termoobieg: 160°C

2. Limonkę umyć pod gorącą wodą i osuszyć. Na tarce o małych otworach zetrzeć skórkę i odłożyć limonkę. Białka z solą ubić na sztywno mikserem z końcówkami do ubijania na najwyższych obrotach. Pianę ubijać dalej 3 minuty, dosypując stopniowo 2/3 brązowego cukru.

3. W drugiej misce utrzeć na puszystą masę jajko i żółtka z masłem lub margaryną, olejem, skórką z limonki i resztą brązowego cukru. Mąkę pszenną wymieszać z mąką ziemniaczaną i proszkiem do pieczenia, po czym na zmianę z rumem dodać do masy, miksując chwilę na najniższych obrotach. Dodać pianę w dwóch porcjach.

4. Ciasto rozprowadzić równomiernie w zagłębieniach formy. Wstawić na ruszt do rozgrzanego piekarnika. **Piec 30 minut.**

5. Wyłożyć na kratkę kuchenną. Po 5 minutach babeczki wyjąć z formy i pozostawić na kratce do wystygnięcia.

6. Z odłożonej limonki wycisnąć sok. Dwie łyżki soku wymieszać w garnuszku z syropem, wodą i mąką ziemniaczaną, a następnie mieszając, zagotować. Zdjąć z ognia. Bezpośrednio na powierzchni budyniu położyć folię spożywczą. Budyń odstawić do wystygnięcia (nie do lodówki).

7. Masło z cukrem pudrem utrzeć mikserem z końcówkami do ubijania na puszystą masę. Stopniowo dodawać wystudzony budyń. Wedle uznania zabarwić krem na zielono odrobiną barwnika spożywczego i wypełnić nim szpryckę z gwiaździstą końcówką (średnica 12–15 mm). Na każdą babeczkę wycisnąć gruby kleks kremu. Połówkę limonki umyć pod gorącą wodą i osuszyć. Odkroić trzy plasterki równej grubości i każdy podzielić na ćwiartki. Ewentualnie osuszyć ręcznikiem papierowym, a następnie obtoczyć w drobnym cukrze. Na krótko przed podaniem przybrać nimi babeczki.

Rada: Aby masło i budyń podczas mieszania połączyły się, tworząc gładki krem, budyń powinien mieć mniej więcej tę samą temperaturę co masło. Jeśli jest zbyt zimny, masło się zważy.

38 BABECZKI ORKISZOWE 12 SZTUK

ZAWARTOŚĆ JEDNEJ BABECZKI: b: 4 g, t: 18 g, w: 31 g, kJ: 1275, kcal: 305, jch: 2,5
CZAS PRZYRZĄDZANIA: 40 minut
CZAS PIECZENIA: 25–30 minut

Z NUTĄ CYNAMONU

DO PRZYGOTOWANIA

385 g odsączonych mirabelek (ze słoika)

NA CIASTO

3 białka (klasy M)
150 g cukru
3 żółtka (klasy M)
130 g masła lub margaryny (o temperaturze pokojowej)
łyżka crème fraîche
180 g mąki orkiszowej (typ 630)
1½ płaskiej łyżeczki proszku do pieczenia Dr. Oetkera
płaska łyżeczka cynamonu

NA WIERZCH

200 g śmietanki kremówki (co najmniej 30% tłuszczu)
50 g crème fraîche
opakowanie cukru z prawdziwą wanilią (8,5 g)

DODATKOWO

12 papilotek (papierowych foremek) do muffinek
ewentualnie 12 całych migdałów

1. Mirabelki przepołowić i wypestkować.

2. Zagłębienia w formie do 12 muffinek wyłożyć papilotkami.

3. Rozgrzać piekarnik.
Grzałka górna/dolna: 180°C
Termoobieg: 160°C

4. Białka ubić na sztywno mikserem z końcówkami do ubijania na najwyższych obrotach, stopniowo wsypując 100 g cukru. Do drugiej miski wrzucić żółtka, masło lub margarynę, crème fraîche i resztę cukru. Ucierać mikserem z końcówkami do ubijania, najpierw chwilę na najniższych, a następnie 4 minuty na najwyższych obrotach.

5. Mąkę orkiszową wymieszać z proszkiem do pieczenia i cynamonem. Pianę i mieszankę mąki dodać w dwóch porcjach do masy jajecznej.

6. Dwanaście połówek mirabelek odłożyć do przybrania, a pozostałe dodać do ciasta.

7. Ciasto rozprowadzić równomiernie w zagłębieniach formy. Wstawić na ruszt do rozgrzanego piekarnika. **Piec 25–30 minut.**

8. Wyłożyć na kratkę kuchenną. Po 5 minutach babeczki wyjąć z formy i pozostawić na kratce do wystygnięcia.

9. Śmietankę z crème fraîche ubić na sztywno mikserem z końcówkami do ubijania na średnich obrotach, wsypując jednocześnie cukier waniliowy. Kremem śmietanowym wypełnić szpryckę z gładką końcówką. Babeczki przybrać małymi kleksami.

10. Na każdej babeczce położyć połówkę mirabelki i wedle uznania do każdej z nich włożyć jeden migdał.

40 BABECZKI Z SOSEM JABŁKOWYM

ZAWARTOŚĆ JEDNEJ BABECZKI: b: 3 g, t: 13 g, w: 33 g, kJ: 1093, kcal: 261, jch: 3,0
CZAS PRZYRZĄDZANIA: 25 minut, nie licząc czasu studzenia
CZAS PIECZENIA: 30 minut

SKROMNE, LECZ WSPANIAŁE

NA CIASTO

170 g mąki pszennej

30 g kaszy manny

3 płaskie łyżeczki proszku do pieczenia Dr. Oetkera

szczypta soli

120 g cukru

opakowanie cukru wanilinowego Dr. Oetkera

250 g musu jabłkowego (ze słoika)

50 g maślanki

100 ml oleju

jajko (klasy M)

70 g rodzynek

DO DEKORACJI

150 g kwaśnej śmietany

20 g chipsów jabłkowych (dostępnych w sklepach ze zdrową żywnością lub dobrze zaopatrzonych supermarketach)

łyżka cukru pudru

DODATKOWO

ewentualnie 12 papilotek (papierowych foremek) do muffinek

1. Zagłębienia w formie do 12 muffinek wyłożyć papilotkami lub natłuścić i wysypać mąką.

2. Rozgrzać piekarnik.
Grzałka górna/dolna: 180°C
Termoobieg: 160°C

3. Wymieszać trzepaczką w misce mąkę z kaszą manną, proszkiem do pieczenia, solą, cukrem i cukrem wanilinowym.

4. W drugiej misce wymieszać trzepaczką mus jabłkowy z maślanką, olejem i jajkiem. Płynne składniki dodać do mieszanki mąki i wymieszać na gładkie ciasto. Dodać rodzynki.

5. Ciasto rozprowadzić równomiernie w zagłębieniach formy. Wstawić na ruszt do rozgrzanego piekarnika. **Piec 30 minut.**

6. Wyłożyć na kratkę kuchenną. Po 5 minutach babeczki wyjąć z formy i pozostawić na kratce do wystygnięcia.

7. Śmietanę wymieszać na gładko i łyżeczką nakładać szerokie kleksy na wystudzone babeczki. Chipsy jabłkowe wedle uznania połamać na duże kawałki lub w całości wciskać w śmietanę. Babeczki posypać cukrem pudrem i natychmiast podawać.

Rady: Zamiast kwaśnej śmietany można użyć greckiego jogurtu śmietankowego (10% tłuszczu).
Babeczki są bardzo smaczne także bez chipsów jabłkowych, a skropione odrobiną likieru jajecznego.

42 BABECZKI HOT CHILI 12 SZTUK

ZAWARTOŚĆ JEDNEJ BABECZKI: b: 7 g, t: 27 g, w: 37 g, kJ: 1776, kcal: 425, jch: 3,0
CZAS PRZYRZĄDZANIA: 50 minut, nie licząc czasu chłodzenia
CZAS PIECZENIA: 20–25 minut

OSTRE PYSZNOŚCI

DO PRZYGOTOWANIA

120 g półgorzkiej czekolady (50% kakao)
300 g śmietanki kremówki (co najmniej 30% tłuszczu)

NA CIASTO

80 g mieszanki orzechów ziemnych i nerkowca w chili
100 g półgorzkiej czekolady (50% kakao)
150 ml mleka (1,5% tłuszczu)
160 g cukru
100 g masła lub margaryny (o temperaturze pokojowej)
2 jajka (klasy M)
160 g mąki
płaska łyżeczka proszku do pieczenia Dr. Oetkera
łyżka kakao

NA WIERZCH

80 g półgorzkiej czekolady (50% kakao)
ewentualnie kilka płatków chili

DODATKOWO

12 papilotek (papierowych foremek) do muffinek

1. Czekoladę połamać na małe kawałki. Śmietankę zagotować w garnuszku, po czym zdjąć z ognia. Wrzucić do niej kawałki czekolady i mieszając, roztopić. Czekoladową śmietankę lekko przestudzić, a następnie przykryć i wstawić na 3–4 godziny do lodówki.

2. Zagłębienia w formie do 12 muffinek wyłożyć papilotkami.

3. Rozgrzać piekarnik.
Grzałka górna/dolna: 180°C
Termoobieg: 160°C

4. Mieszankę orzechów drobno posiekać. Dwie łyżki odłożyć do przybrania.

5. Czekoladę połamać na małe kawałki. Mleko wlać do garnuszka, wrzucić kawałki czekolady i wsypać połowę cukru. Mieszając, zagotować, a następnie zdjąć z ognia.

6. Masło lub margarynę z resztą cukru wrzucić do miski. Ucierać mikserem z końcówkami do ubijania, najpierw chwilę na najniższych, a następnie 4 minuty na najwyższych obrotach. Stopniowo dodawać jajka (każde jajko miksować pół minuty).

7. Mąkę wymieszać z proszkiem do pieczenia i kakao. Dodać do masy jajecznej. Domieszać posiekaną mieszankę orzechów (60 g). Na koniec wlać gorące czekoladowe mleko i starannie wymieszać.

8. Ciasto rozprowadzić równomiernie w zagłębieniach formy. Wstawić na ruszt do rozgrzanego piekarnika. **Piec 20–25 minut.**

9. Wyłożyć na kratkę kuchenną. Po 5 minutach babeczki wyjąć z formy i pozostawić na kratce do wystygnięcia.

10. Czekoladę przeznaczoną na wierzch połamać na kawałki. Dwie trzecie roztopić w garnuszku w kąpieli wodnej na małym ogniu, mieszając. Zdjąć z ognia i nadal mieszając, dodać pozostałą czekoladę. Wsypać odłożoną mieszankę orzechów. Łyżeczką zrobić na blaszce wyłożonej papierem do pieczenia 12 czekoladowych kleksów i wstawić na chwilę do lodówki.

11. Czekoladową śmietankę ubić mikserem z końcówkami do ubijania i napełnić szprycę z gwiaździstą końcówką (średnica 15 mm).

12. Na każdą babeczkę wycisnąć duży kleks. Przybrać czekoladowymi talarkami i wedle uznania płatkami chili.

44 BABECZKI TAJSKIE 12 SZTUK

ZAWARTOŚĆ JEDNEJ BABECZKI: b: 6 g, t: 23 g, w: 27 g, kJ: 1440, kcal: 345, jch: 2,5
CZAS PRZYRZĄDZANIA: 40 minut, nie licząc czasu studzenia
CZAS PIECZENIA: 25–30 minut

POWIEW AZJI

DO PRZYGOTOWANIA

80 g mieszanki orzeszków ziemnych i orzechów nerkowca w stylu tajskim

NA CIASTO

3 białka (klasy M)
szczypta soli
140 g cukru
3 żółtka (klasy M)
160 g masła lub margaryny (o temperaturze pokojowej)
6 łyżek mleka
160 g mąki pszennej
płaska łyżeczka proszku do pieczenia Dr. Oetkera

NA WIERZCH

100 g serka mascarpone (o temperaturze pokojowej)
120 g crème fraîche
łyżka cukru pudru
30 g białej czekolady
12 owoców miechunki jadalnej

DODATKOWO

12 papilotek (papierowych foremek) do muffinek

---

1. Mieszankę orzechów grubo posiekać.

2. Zagłębienia w formie do 12 muffinek wyłożyć papilotkami.

3. Rozgrzać piekarnik.
Grzałka górna/dolna: 180°C
Termoobieg: 160°C

4. Białka z solą ubić na sztywno mikserem z końcówkami do ubijania na najwyższych obrotach. Pianę ubijać jeszcze 3 minuty, dosypując stopniowo 100 g cukru.

5. W drugiej misce żółtka z masłem lub margaryną i resztą cukru ucierać mikserem z końcówkami do ubijania, najpierw chwilę na najniższych, a następnie 4 minuty na najwyższych obrotach. Na koniec dodać mleko.

6. Mąkę dokładnie wymieszać z orzechami i proszkiem do pieczenia. Podzielić na dwie porcje i na zmianę z pianą dodawać, mieszając, do masy jajecznej.

7. Ciasto rozprowadzić równomiernie w zagłębieniach formy. Wstawić na ruszt do rozgrzanego piekarnika. **Piec 25–30 minut.**

8. Wyłożyć na kratkę kuchenną. Po 5 minutach babeczki wyjąć z formy i pozostawić na kratce do wystygnięcia.

9. Mascarpone z crème fraîche i cukrem pudrem ubić na sztywno mikserem z końcówkami do ubijania na średnich obrotach. Czekoladę zetrzeć na drobne wiórki i połowę dodać do kremu.

10. Krem rozdzielić na babeczki i dekoracyjnie rozsmarować nożem. Posypać resztą czekoladowych wiórków i przybrać opłukanymi i osuszonymi owocami miechunki.

11. Ostrożnie przykryć, żeby nie rozgnieść dekoracji, i wstawić na 30 minut do lodówki.

46 BABECZKI MIĘTOWE _{12 SZTUK}

ZAWARTOŚĆ JEDNEJ BABECZKI: b: 5 g, t: 31 g, w: 38 g, kJ: 1903, kcal: 457, jch: 3,0
CZAS PRZYRZĄDZANIA: 35 minut, nie licząc czasu studzenia
CZAS PIECZENIA: 30 minut

CZAS NA HERBATĘ

NA CIASTO
3 białka (klasy M)
szczypta soli
160 g cukru
3 żółtka (klasy M)
180 g masła lub margaryny (o temperaturze pokojowej)
180 g mąki pszennej
20 g kakao
na czubek noża sody oczyszczonej
½ płaskiej łyżeczki proszku do pieczenia Dr. Oetkera
125 ml mleka
50 g wiórków z półgorzkiej czekolady

NA WIERZCH
80 g cukru pudru
2 opakowania zagęstnika do śmietany
375 g śmietanki tortowej (36% tłuszczu)
100 g jogurtu (3,5% tłuszczu)
odrobina zielonego barwnika spożywczego
kilka kropli olejku miętowego

DO PRZYBRANIA
12 czekoladowych paluszków z nadzieniem miętowym

DODATKOWO
12 papilotek (papierowych foremek) do muffinek

1. Zagłębienia w formie do 12 muffinek wyłożyć papilotkami.

2. Rozgrzać piekarnik.
Grzałka górna/dolna: 160°C
Termoobieg: 140°C

3. Białka z solą ubić na sztywno mikserem z końcówkami do ubijania na najwyższych obrotach. Pianę ubijać dalej 3 minuty, stopniowo dosypując cukier.

4. W drugiej misce utrzeć na puszystą masę żółtka z masłem lub margaryną. Mąkę wymieszać z kakao, sodą oczyszczoną i proszkiem do pieczenia. Mieszankę razem z mlekiem dodać do masy maślanej. Na koniec w dwóch porcjach domieszać pianę i wiórki czekoladowe, miksując na najniższych obrotach.

5. Ciasto rozprowadzić równomiernie w zagłębieniach formy. Wstawić na ruszt do rozgrzanego piekarnika. **Piec 30 minut.**

6. Wyłożyć na kratkę kuchenną. Po 5 minutach babeczki wyjąć z formy i pozostawić na kratce do wystygnięcia.

7. Cukier puder wymieszać z zagęstnikiem do śmietany. Śmietankę tortową chwilę ubijać, po czym stopniowo wsypywać do niej mieszankę cukru pudru, dalej ubijając. Na koniec dodać jogurt. Wedle uznania zabarwić krem na zielono barwnikiem spożywczym i doprawić odrobiną olejku miętowego.

8. Kremem miętowym wypełnić szprycę z gwiaździstą końcówką (średnica 12–15 mm) i na każdą babeczkę wycisnąć duży kleks. Paluszki czekoladowe połamać na 2–3 kawałki i przybrać nimi babeczki.

48 BABECZKI MOZARTA 12 SZTUK

ZAWARTOŚĆ JEDNEJ BABECZKI: b: 10 g, t: 31 g, w: 40 g, kJ: 1990, kcal: 475, jch: 3,5
CZAS PRZYRZĄDZANIA: 40 minut, nie licząc czasu studzenia
CZAS PIECZENIA: 25–30 minut

DO PRZYGOTOWANIA

100 g nugatu orzechowego

NA CIASTO

3 białka (klasy M)

szczypta soli

100 g cukru

50 g surowej masy marcepanowej

150 g masła lub margaryny (o temperaturze pokojowej)

3 żółtka (klasy M)

120 g mąki pszennej

50 g wiórków z białej czekolady

50 g zmielonych pistacji

płaska łyżeczka proszku do pieczenia Dr. Oetkera

NA WIERZCH

150 ml zimnego mleka (1,5% tłuszczu)

100 g śmietanki kremówki (co najmniej 30% tłuszczu)

opakowanie musu czekoladowego (w proszku)

200 g surowej masy marcepanowej

odrobina zielonego barwnika spożywczego

30 g zmielonych pistacji

łyżka cukru pudru

2 łyżki chrupiących perełek dekoracyjnych

DODATKOWO

12 papilotek (papierowych foremek) do muffinek

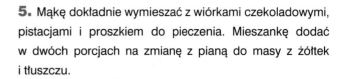

1. Zagłębienia w formie do 12 muffinek wyłożyć papilotkami. Nugat orzechowy pokroić na 12 kawałków jednakowej wielkości.

2. Rozgrzać piekarnik.
Grzałka górna/dolna: 180°C
Termoobieg: 160°C

3. Białka z solą ubić na sztywno mikserem z końcówkami do ubijania na najwyższych obrotach. Ubijać dalej 3 minuty, stopniowo dosypując cukier.

4. Marcepan pokroić na cienkie plasterki. Razem z masłem lub margaryną i żółtkami ucierać mikserem z końcówkami do ubijania, najpierw chwilę na najniższych, a potem 4 minuty na najwyższych obrotach.

5. Mąkę dokładnie wymieszać z wiórkami czekoladowymi, pistacjami i proszkiem do pieczenia. Mieszankę dodać w dwóch porcjach na zmianę z pianą do masy z żółtek i tłuszczu.

6. Ciasto rozprowadzić równomiernie w zagłębieniach formy. Do każdej porcji ciasta ostrożnie wcisnąć kawałek nugatu orzechowego. Wstawić na ruszt do rozgrzanego piekarnika. **Piec 25–30 minut.**

7. Wyłożyć na kratkę kuchenną. Po 5 minutach babeczki wyjąć z formy i pozostawić na kratce do wystygnięcia.

8. Z mleka, śmietanki i sproszkowanego deseru przyrządzić mus zgodnie z instrukcją na opakowaniu, lecz używając podanych tu ilości składników. Przykryć i wstawić na chwilę do lodówki.

9. Marcepan zagnieść z zielonym barwnikiem spożywczym i pistacjami. Z odrobiną cukru pudru rozwałkować na placek grubości 2–3 mm. Foremkami wykroić 12 krążków z falistym brzegiem (średnica 65 mm). Z reszty marcepanu zrobić 12 kuleczek jednakowej wielkości.

10. Każdą babeczkę posmarować musem czekoladowym na grubość 8 mm i położyć na niej marcepanowy krążek. Resztę musu czekoladowego przełożyć do szprycki z gwiaździstą końcówką i wycisnąć na krążki. Na każdy kleks musu położyć marcepanową kuleczkę i posypać chrupiącymi perełkami. Przykryć tak, aby nie rozgnieść dekoracji i wstawić na godzinę do lodówki.

50 CZEKOLADOWE RÓŻE 12 SZTUK

ZAWARTOŚĆ JEDNEJ BABECZKI: b: 7 g, t: 40 g, w: 44 g, kJ: 2364, kcal: 565, jch: 3,5
CZAS PRZYRZĄDZANIA: 35 minut, nie licząc czasu chłodzenia
CZAS PIECZENIA: 30 minut

WYTWORNE

NA WIERZCH

400 g śmietanki kremówki (co najmniej 30% tłuszczu)
150 g półgorzkiej czekolady (50% kakao)
100 g nugatu orzechowego

NA CIASTO

2 białka (klasy M)
szczypta soli
180 g cukru
2 żółtka (klasy M)
jajko (klasy M)
opakowanie cukru wanilinowego Dr. Oetkera
180 g masła lub margaryny (o temperaturze pokojowej)
150 g zmielonych orzechów laskowych
100 g mąki pszennej
20 g kakao
1½ płaskiej łyżeczki proszku do pieczenia Dr. Oetkera
75 g kwaśnej śmietany

DO PRZYBRANIA

2 opakowania czekoladowych róż z listkami

DODATKOWO

12 papilotek (papierowych foremek) do muffinek

---

1. Śmietankę zagotować w garnuszku. Czekoladę połamać na małe kawałki. Nugat drobno pokroić. Garnuszek zdjąć z ognia. Wrzucić do niego kawałki czekolady i nugatu, pozwalając im się roztopić. Masę wymieszać na gładko, ostudzić, przykryć i wstawić co najmniej na 6 godzin, a najlepiej na noc, do lodówki.

2. Zagłębienia w formie do 12 muffinek wyłożyć papilotkami.

3. Rozgrzać piekarnik.
Grzałka górna/dolna: 180°C
Termoobieg: 160°C

4. Białka z solą ubić na sztywno mikserem z końcówkami do ubijania na najwyższych obrotach. Pianę ubijać jeszcze 3 minuty, stopniowo dosypując połowę cukru.

5. W drugiej misce utrzeć na puszystą masę żółtka, jajko, pozostały cukier, cukier wanilinowy i masło lub margarynę. Dodać orzechy. Mąkę wymieszać z kakao i proszkiem do pieczenia. Na zmianę dodawać do masy mieszankę mąki i kwaśną śmietanę, miksując na najniższych obrotach. W dwóch porcjach domieszać pianę.

6. Ciasto rozprowadzić równomiernie w zagłębieniach formy. Wstawić na ruszt do rozgrzanego piekarnika. **Piec 30 minut.**

7. Wyłożyć na kratkę kuchenną. Po 5 minutach babeczki wyjąć z formy i pozostawić na kratce do wystygnięcia.

8. Śmietankę z czekoladą i nugatem w dwóch porcjach ubić mikserem z końcówkami do ubijania i przełożyć do szprycki z gładką końcówką (średnica 12–15 mm). Wycisnąć na babeczki małe kleksy.

9. Każdą babeczkę przybrać różą i dwoma listkami. Przykryć tak, aby nie rozgnieść dekoracji i wstawić do lodówki. Wyjąć tuż przed podaniem.

52 BABECZKI KARMELOWE Z SOLĄ 12 SZTUK

ZAWARTOŚĆ JEDNEJ BABECZKI: b: 4 g, t: 28 g, w: 30 g, kJ: 1615, kcal: 386, jch: 2,5
CZAS PRZYRZĄDZANIA: 40 minut, nie licząc czasu chłodzenia
CZAS PIECZENIA: 25–30 minut

URZEKAJĄCE

DO PRZYGOTOWANIA

100 g cukru
80 g śmietanki kremówki

NA CIASTO

100 g pralinek w mlecznej czekoladzie z nadzieniem toffi

150 g masła lub margaryny (o temperaturze pokojowej)
120 g cukru
szczypta grubej soli
3 jajka (klasy M)
50 g kwaśnej śmietany
100 g mąki pszennej
20 g kakao
płaska łyżeczka proszku do pieczenia Dr. Oetkera

NA WIERZCH

150 g masła (o temperaturze pokojowej)
łyżeczka grubej soli (do posypania)

DODATKOWO

12 papilotek (papierowych foremek) do muffinek

---

1. Cukier stopniowo wsypywać do stalowego garnuszka i karmelizować na średnim ogniu na złotobrązowy kolor, mieszając.

2. Następnie ostrożnie dolać śmietankę (uwaga: będzie pryskać!). Zagotować i tak długo gotować, aż cukier się rozpuści. Odstawić do wystygnięcia.

3. Zagłębienia w formie do 12 muffinek wyłożyć papilotkami.

4. Rozgrzać piekarnik.
Grzałka górna/dolna: 180°C
Termoobieg: 160°C

5. Odłożyć 12 pralinek, a resztę drobno posiekać i wrzucić do miski razem z masłem lub margaryną, cukrem i solą. Ucierać na puszystą masę mikserem z końcówkami do ubijania, najpierw chwilę na najniższych, a potem 4 minuty na najwyższych obrotach. Stopniowo dodawać jajka (każde jajko miksować pół minuty). Potem dodać kwaśną śmietanę i wymieszać.

6. Mąkę wymieszać z kakao i proszkiem do pieczenia. Dodać do masy jajecznej i wymieszać.

7. Ciasto rozprowadzić równomiernie w zagłębieniach formy. W każdą porcję ciasta ostrożnie wcisnąć jedną pralinkę. Wstawić na ruszt do rozgrzanego piekarnika. **Piec 25–30 minut.**

8. Wyłożyć na kratkę kuchenną. Po 5 minutach babeczki wyjąć z formy i pozostawić na kratce do wystygnięcia.

9. Masło utrzeć w misce mikserem z końcówkami do ubijania. Z odstawionego karmelu odłożyć 2–3 łyżki. Resztę po łyżce dodawać do masła, mieszając. Krem rozsmarować nożem na babeczkach. Przykryć tak, aby nie rozgnieść kremu i wstawić na godzinę do lodówki.

10. Przed podaniem babeczki polać karmelem i posypać solą.

54 BABECZKI KARMELOWO-ORZECHOWE 24 SZTUKI

ZAWARTOŚĆ JEDNEJ BABECZKI: b: 3 g, t: 15 g, w: 16 g, kJ: 878, kcal: 210, jch: 1,5
CZAS PRZYRZĄDZANIA: 40 minut, nie licząc czasu studzenia
CZAS PIECZENIA: 25 minut

MINIATUROWE

NA CIASTO

150 g masła lub margaryny (o temperaturze pokojowej)

60 g cukru

60 g syropu z buraków cukrowych

szczypta soli

3 jajka (klasy M)

100 g mąki pszennej

80 g zmielonych orzechów włoskich

½ płaskiej łyżeczki mielonego ziela angielskiego

płaska łyżeczka proszku do pieczenia Dr. Oetkera

NA WIERZCH

70 g orzechów włoskich

70 g orzechów brazylijskich

180 g cukru

40 g masła

40 g śmietanki kremówki

40 g posiekanych pistacji

DODATKOWO

24 małe papilotki (papierowe foremki) do muffinek

---

1. Zagłębienia w formie do 24 małych muffinek wyłożyć papilotkami.

2. Rozgrzać piekarnik.
Grzałka górna/dolna: 180°C
Termoobieg: 160°C

3. Do miski wrzucić masło lub margarynę, cukier, sól, wlać syrop z buraków. Ucierać na puszystą masę mikserem z końcówkami do ubijania, najpierw chwilę na najniższych, a potem 4 minuty na najwyższych obrotach. Stopniowo dodawać jajka (każde jajko miksować pół minuty).

4. Mąkę wymieszać dokładnie ze zmielonymi orzechami, zielem angielskim i proszkiem do pieczenia. Dodać do masy.

5. Ciasto rozprowadzić równomiernie w zagłębieniach formy. Wstawić na ruszt do rozgrzanego piekarnika. **Piec 25 minut.**

6. Wyłożyć na kratkę kuchenną. Po 5 minutach babeczki wyjąć z formy i pozostawić na kratce do wystygnięcia.

7. Orzechy włoskie i brazylijskie grubo posiekać. Cukier wsypywać stopniowo do stalowego garnuszka; mieszając, karmelizować na złotobrązowy kolor na średnim ogniu. Następnie dodać masło i dobrze wymieszać. Potem dodać śmietanę i również dokładnie wymieszać. Na koniec dodać orzechy włoskie, brazylijskie i pistacje. Zdjąć z ognia.

8. Jeszcze gorące orzechy w karmelu dwiema łyżeczkami rozdzielić na babeczki (uwaga: orzechy są bardzo gorące).

Rada: Aby ciasto łatwiej było rozprowadzić w zagłębieniach formy, można je przełożyć do torebki foliowej, odciąć mały rożek i wycisnąć.

56 BABECZKI Z KROKANTEM ORZECHOWYM 12 SZTUK

ZAWARTOŚĆ JEDNEJ BABECZKI: b: 11 g, t: 39 g, w: 42 g, kJ: 2323, kcal: 556, jch: 3,5
CZAS PRZYRZĄDZANIA: 35 minut, nie licząc czasu studzenia
CZAS PIECZENIA: 30 minut

CHRUPIĄCE I KREMOWE

NA CIASTO

50 g prażonych i solonych orzeszków ziemnych
3 jajka (klasy M)
szczypta soli
150 g brązowego cukru
2 opakowania cukru wanilinowego Dr. Oetkera
30 g masła orzechowego
150 g masła lub margaryny (o temperaturze pokojowej)
90 g mąki pszennej
40 g mąki ziemniaczanej
na czubek noża proszku do pieczenia Dr. Oetkera
na czubek noża sody oczyszczonej
2 łyżki maślanki

NA KROKANT

70 g prażonych i solonych orzeszków ziemnych
100 g cukru
odrobina oleju

NA WIERZCH

180 g masła orzechowego
50 g masła
300 g twarożku śmietankowego
80 g cukru pudru
opakowanie cukru wanilinowego Dr. Oetkera
szczypta soli

DODATKOWO

12 papilotek (papierowych foremek) do muffinek

---

1. Zagłębienia w formie do 12 muffinek wyłożyć papilotkami.

2. Rozgrzać piekarnik.
Grzałka górna/dolna: 180°C
Termoobieg: 160°C

3. Orzeszki ziemne przeznaczone na ciasto drobno posiekać. Jajka z solą ubijać chwilę mikserem z końcówkami do ubijania na najwyższych obrotach. Ubijać dalej 3 minuty, stopniowo dosypując brązowy cukier i cukier wanilinowy.

4. W drugiej misce utrzeć masło orzechowe z masłem lub margaryną. Dodać posiekane orzeszki ziemne. Mąkę pszenną wymieszać z mąką ziemniaczaną, proszkiem do pieczenia i sodą oczyszczoną. Mieszankę mąki i maślankę dodawać na zmianę do masy maślanej. Ubite jajka domieszać w dwóch porcjach, miksując na najniższych obrotach. Ciasto rozprowadzić równomiernie w zagłębieniach formy. Wstawić na ruszt do rozgrzanego piekarnika. **Piec 30 minut.**

5. Wyłożyć na kratkę kuchenną. Po 5 minutach babeczki wyjąć z formy i pozostawić na kratce do wystygnięcia.

6. Orzeszki ziemne przeznaczone na krokant posiekać. Arkusz papieru do pieczenia położyć na dużej drewnianej desce do krojenia lub blasze do pieczenia. Cukier karmelizować na złotobrązowy kolor w płaskim stalowym garnuszku na średnim ogniu. Dodać orzeszki ziemne, wymieszać i chwilę podgrzewać. Zdjąć z ognia.

7. Gorącą masę karmelową natychmiast wylać na papier do pieczenia. Na nią położyć drugi arkusz papieru do pieczenia. Wałkiem do ciasta rozwałkować możliwie cienko (uwaga: masa jest bardzo gorąca!). Kiedy tylko górna warstwa papieru da się oderwać, zdjąć ją. Ostrze dużego stabilnego noża posmarować lekko olejem i gorący krokant pokroić na paski centymetrowej szerokości. Pozostawić do wystygnięcia.

8. Składniki przeznaczone na wierzch wrzucić do miski i mikserem z końcówkami do ubijania ucierać chwilę na gładki krem. Łyżką nakładać na babeczki. Paski krokantu połamać na kawałki długości 5–6 cm i przybrać babeczki.

58 BABECZKI KAWOWO-MARCEPANOWE 12 SZTUK

ZAWARTOŚĆ JEDNEJ BABECZKI: b: 6 g, t: 28 g, w: 33 g, kJ: 1724, kcal: 412, jch: 2,5
CZAS PRZYRZĄDZANIA: 35 minut, nie licząc czasu studzenia
CZAS PIECZENIA: 30 minut

ŚWIETNE NA SPOTKANIE PRZY KAWIE

NA CIASTO

100 g surowej masy marcepanowej
2 białka (klasy M)
szczypta soli
120 g cukru
2 żółtka (klasy M)
120 g masła lub margaryny (o temperaturze pokojowej)
jajko (klasy M)
2 łyżeczki kawy rozpuszczalnej
75 g kwaśnej śmietany
130 g mąki pszennej
płaska łyżeczka proszku do pieczenia Dr. Oetkera
na czubek noża sody oczyszczonej

NA WIERZCH

3–4 łyżeczki kawy rozpuszczalnej
2 łyżki letniej wody
400 g serka mascarpone
100 ml zimnego mleka (3,5% tłuszczu)
100 g cukru pudru
opakowanie zagęstnika do śmietany
12 ziaren kawy w czekoladzie

DODATKOWO

12 papilotek (papierowych foremek) do muffinek

1. Zagłębienia w formie do 12 muffinek wyłożyć papilotkami.

2. Rozgrzać piekarnik.
Grzałka górna/dolna: 180°C
Termoobieg: 160°C

3. Marcepan pokroić na cienkie plasterki. Białka z solą ubić na sztywno mikserem z końcówkami do ubijania na najwyższych obrotach. Pianę ubijać dalej 3 minuty, stopniowo dosypując 80 g cukru.

4. W drugiej misce utrzeć na puszystą masę plasterki marcepana, resztę cukru, żółtka i masło lub margarynę. Kolejno dodawać jajko, kawę rozpuszczalną i kwaśną śmietanę. Mąkę wymieszać z proszkiem do pieczenia i sodą oczyszczoną. Mieszankę mąki dodać w dwóch porcjach do masy marcepanowej, miksując chwilę na najniższych obrotach. Pianę dodać również w dwóch porcjach. Ciasto rozprowadzić równomiernie w zagłębieniach formy. Wstawić na ruszt do rozgrzanego piekarnika. **Piec 30 minut.**

5. Wyłożyć na kratkę kuchenną. Po 5 minutach babeczki wyjąć z formy i pozostawić na kratce do wystygnięcia.

6. Kawę rozpuszczalną przeznaczoną na wierzch rozpuścić w wodzie i odstawić w chłodne miejsce. Mascarpone z mlekiem wymieszać mikserem z końcówkami do ubijania i chwilę ucierać na pulchną masę. Cukier puder wymieszać z zagęstnikiem do śmietany i dodać do mascarpone, zamieszać. Na koniec wlać wystudzoną kawę, wymieszać.

7. Kremem napełnić szprycę z gładką końcówką (średnica 12–15 mm). Na każdą babeczkę wycisnąć gruby kleks i przybrać ziarnem kawy w czekoladzie. Wstawić na 15 minut do lodówki.

BABECZKI ORZECHOWO-NUGATOWE 12 SZTUK

ZAWARTOŚĆ JEDNEJ BABECZKI: b: 5 g, t: 25 g, w: 30 g, kJ: 1530, kcal: 366, jch: 2,5
CZAS PRZYRZĄDZANIA: 60 minut, nie licząc czasu chłodzenia
CZAS PIECZENIA: chipsy gruszkowe 60 minut, babeczki 25–30 minut

Z GRUSZKAMI W CZERWONYM WINIE

DO PRZYGOTOWANIA

3–4 gruszki (500 g)
3 łyżki soku z cytryny
100 ml czerwonego wina

NA CIASTO

150 g masła lub margaryny (o temperaturze pokojowej)

szczypta soli
140 g cukru
3 jajka (klasy M)
100 g mąki pszennej
100 g zmielonych orzechów laskowych
½ płaskiej łyżeczki cynamonu
1½ płaskiej łyżeczki proszku do pieczenia Dr. Oetkera

NA WIERZCH

150 g kremu orzechowo-nugatowego
150 g twarożku śmietankowego (o temperaturze pokojowej)

DODATKOWO

12 papilotek (papierowych foremek) do muffinek

1. Rozgrzać piekarnik.
Grzałka górna/dolna: 80°C
Termoobieg: 70°C

2. Gruszki umyć pod ciepłą wodą i osuszyć. Jedną pokroić w poprzek, zaczynając od ogonka, na 24 cienkie plasterki. Używając pędzelka posmarować je sokiem z cytryny, położyć na blasze wyłożonej papierem do pieczenia i suszyć w piekarniku godzinę. W tym czasie pozostałe gruszki obrać, przepołowić i usunąć gniazda nasienne. Pokroić w centymetrową kostkę. Razem z czerwonym winem wrzucić do garnuszka i zagotować. Gotować na małym ogniu 4–5 minut, po czym zdjąć z ognia. Odsączyć na sicie, zlewając sok do naczynia. Pozostawić do wystygnięcia.

3. Zagłębienia w formie do 12 muffinek wyłożyć papilotkami.

4. Rozgrzać piekarnik.
Grzałka górna/dolna: 180°C
Termoobieg: 160°C

5. Masło z solą i cukrem ucierać w misce mikserem z końcówkami do ubijania, najpierw chwilę na najniższych, a potem 4 minuty na najwyższych obrotach. Stopniowo dodawać jajka (każde jajko miksować pół minuty).

6. Mąkę wymieszać dokładnie z orzechami laskowymi, cynamonem i proszkiem do pieczenia. Dodać do masy jajecznej, wymieszać, a następnie dodać gruszki gotowane w winie i połowę soku z wina.

7. Ciasto rozprowadzić równomiernie w zagłębieniach formy. Wstawić na ruszt do rozgrzanego piekarnika. **Piec 25–30 minut.**

8. Wyłożyć na kratkę kuchenną. Po 5 minutach babeczki wyjąć z formy i pozostawić na kratce do wystygnięcia.

9. Dwie łyżki kremu orzechowo-nugatowego lekko podgrzać w garnuszku i przełożyć do małej torebki foliowej.

10. Resztę kremu wymieszać z twarożkiem, przełożyć do szprycki z gładką końcówką (średnica 8 mm) i wycisnąć na babeczki. W torebce foliowej odciąć mały rożek. Przybrać babeczki kremem i przykryć tak, aby nie rozgnieść przybrania. Wstawić na godzinę do lodówki. Przed podaniem przybrać chipsami gruszkowymi.

62 BABECZKI PIERNIKOWE 12 SZTUK

ZAWARTOŚĆ JEDNEJ BABECZKI: b: 5 g, t: 25 g, w: 23 g, kJ: 1428, kcal: 341, jch: 2,0
CZAS PRZYRZĄDZANIA: 40 minut, nie licząc czasu chłodzenia
CZAS PIECZENIA: 25–30 minut

ADWENT, ADWENT

DO PRZYGOTOWANIA

pomarańcza (niepryskana i niewoskowana)

NA CIASTO

150 g masła lub margaryny (o temperaturze pokojowej)
120 g cukru
2 łyżki dżemu pomarańczowego z kawałkami owoców
3 jajka (klasy M)
100 g zmielonych migdałów ze skórką
80 g mąki pszennej
płaska łyżeczka proszku do pieczenia Dr. Oetkera
płaska łyżeczka przyprawy do piernika

NA WIERZCH

250 g serka mascarpone (o temperaturze pokojowej)
50 g crème légère (śmietanki o zawartości 15% tłuszczu, o temperaturze pokojowej)
80 g dżemu pomarańczowego z kawałkami owoców
12 ciasteczek w kształcie literek do przybrania

DODATKOWO

12 papilotek (papierowych foremek) do muffinek

1. Pomarańczę umyć pod gorącą wodą, osuszyć i na tarce o małych otworach zetrzeć z niej skórkę. Następnie zdjąć z owocu białą skórkę i wyfiletować go. Przykryć i odstawić.

2. Zagłębienia w formie do 12 muffinek wyłożyć papilotkami.

3. Rozgrzać piekarnik.
Grzałka górna/dolna: 180°C
Termoobieg: 160°C

4. Do miski wrzucić masło lub margarynę, cukier, skórkę z pomarańczy i dżem pomarańczowy. Ucierać mikserem z końcówkami do ubijania, najpierw chwilę na najniższych, a potem 4 minuty na najwyższych obrotach. Stopniowo dodawać jajka (każde jajko miksować pół minuty).

5. Migdały wymieszać dokładnie z mąką, proszkiem do pieczenia i przyprawą do piernika. Dodać do masy jajecznej i wymieszać.

6. Ciasto rozprowadzić równomiernie w zagłębieniach formy. Wstawić na ruszt do rozgrzanego piekarnika. **Piec 25–30 minut.**

7. Wyłożyć na kratkę kuchenną. Po 5 minutach babeczki wyjąć z formy i pozostawić na kratce do wystygnięcia.

8. Mascarpone wymieszać trzepaczką z crème légère i dżemem pomarańczowym. Krem rozdzielić łyżką na babeczki. Przykryć tak, aby nie rozgnieść kremu i wstawić na godzinę do lodówki.

9. Przed podaniem przybrać babeczki ciasteczkami w kształcie literek. Do tego podawać wyfiletowaną pomarańczę.

Rada: Startą skórkę z pomarańczy można zastąpić połową opakowania aromatu pomarańczowego.

64 BABECZKI BOŻONARODZENIOWE 12 SZTUK

ZAWARTOŚĆ JEDNEJ BABECZKI: b: 4 g, t: 16 g, w: 37 g, kJ: 1335, kcal: 320, jch: 3,0
CZAS PRZYRZĄDZANIA: 50 minut, nie licząc czasu studzenia
CZAS PIECZENIA: 25–30 minut

ŚWIĄTECZNIE

DO PRZYGOTOWANIA

100 g suszonych moreli

100 g suszonych śliwek

80 g suszonych jabłek

50 g kandyzowanego imbiru

3 łyżki whisky lub rumu

100 ml wody

50 g lukru plastycznego

łyżka cukru pudru

odrobina wody

odrobina cukru

NA CIASTO

120 g masła lub margaryny
(o temperaturze pokojowej)

szczypta soli

80 g cukru

2 jajka (klasy M)

120 g mąki pszennej

1½ płaskiej łyżeczki proszku do pieczenia
Dr. Oetkera

80 g wiórków kokosowych

NA WIERZCH

180 ml zimnego mleka (1,5% tłuszczu)

opakowanie musu kokosowo-śmietankowo-likierowego
(deseru w proszku dr Oetkera)

2 łyżki wiórków kokosowych

DODATKOWO

12 papilotek (papierowych foremek)
do muffinek

1. Morele, śliwki, jabłka i imbir grubo posiekać. Wrzucić do miski, skropić whisky lub rumem i zalać wrzącą wodą. Przykryć i odstawić.

2. Lukier plastyczny rozwałkować na grubość 2 mm na stolnicy lekko posypanej cukrem pudrem i foremkami wykroić płatki śniegu i gwiazdki. Ozdoby z lukru pędzelkiem posmarować wodą, a następnie posypać cukrem. Położyć na arkuszu papieru do pieczenia, aby wyschły.

3. Zagłębienia w formie do 12 muffinek wyłożyć papilotkami.

4. Rozgrzać piekarnik.
Grzałka górna/dolna: 180°C
Termoobieg: 160°C

5. Masło z solą i cukrem ucierać w misce mikserem z końcówkami do ubijania, najpierw chwilę na najniższych, a potem 4 minuty na najwyższych obrotach. Stopniowo dodawać jajka (każde jajko miksować pół minuty).

6. Mąkę wymieszać dokładnie z proszkiem do pieczenia i dodać do masy jajecznej, razem wymieszać. Owoce razem z płynem wymieszać z wiórkami kokosowymi, dodać do ciasta, zamieszać.

7. Ciasto rozprowadzić równomiernie w zagłębieniach formy. Wstawić na ruszt do rozgrzanego piekarnika. **Piec 25–30 minut.**

8. Wyłożyć na kratkę kuchenną. Po 5 minutach babeczki wyjąć z formy i pozostawić na kratce do wystygnięcia.

9. Z mleka i sproszkowanego deseru przyrządzić mus zgodnie z instrukcją na opakowaniu. Przykryć i wstawić na chwilę do lodówki.

10. Musem wypełnić szprycę z gładką końcówką (średnica 10 mm) i wycisnąć kleksy na babeczki. Posypać wiórkami kokosowymi i przykryć tak, aby nie rozgnieść przybrania. Wstawić na godzinę do lodówki. Przed podaniem przybrać lukrowymi płatkami śniegu i gwiazdkami.

Rady: Zamiast alkoholu można użyć takiej samej ilości wody. Babeczki będą wyglądały szczególnie odświętnie, jeśli przed podaniem otoczy się je specjalnymi osłonkami.

66 KWIATKI I MOTYLKI 12 SZTUK

ZAWARTOŚĆ JEDNEJ BABECZKI: b: 6 g, t: 32 g, w: 40 g, kJ: 1983, kcal: 474, jch: 3,5
CZAS PRZYRZĄDZANIA: 40 minut, nie licząc czasu studzenia
CZAS PIECZENIA: 25–30 minut

CAŁE W BIELI

DO PRZYGOTOWANIA
100 g lukru plastycznego
łyżka cukru pudru

NA CIASTO
3 białka (klasy M)
szczypta soli
120 g cukru
3 żółtka (klasy M)
150 g masła lub margaryny
(o temperaturze pokojowej)
60 g kwaśnej śmietany
170 g mąki pszennej
60 g wiórków z białej czekolady
1½ płaskiej łyżeczki proszku
do pieczenia Dr. Oetkera

NA WIERZCH
200 g białej kuwertury
160 g śmietanki kremówki
(co najmniej 30% tłuszczu)
2 listki białej żelatyny (2 g)
200 g śmietanki kremówki
(co najmniej 30% tłuszczu)
4 łyżki wiórków kokosowych

DODATKOWO
12 papilotek (papierowych foremek
do muffinek)

1. Lukier plastyczny rozwałkować na grubość 2 mm na stolnicy lekko posypanej cukrem pudrem i foremkami wykroić kwiatki i motylki. Kwiatki włożyć do pustego plastikowego opakowania i pozostawić do wyschnięcia.

2. Aby wysuszyć motylki, arkusz kartonu złożyć w harmonijkę i położyć je w nim (patrz zdjęcie w tle).

3. Zagłębienia w formie do 12 muffinek wyłożyć papilotkami.

4. Rozgrzać piekarnik.
Grzałka górna/dolna: 180°C
Termoobieg: 160°C

5. Białka z solą ubić na sztywno mikserem z końcówkami do ubijania na najwyższych obrotach. Pianę ubijać dalej 3 minuty, stopniowo dosypując 100 g cukru.

6. W drugiej misce żółtka z masłem lub margaryną i resztą cukru ucierać na puszystą masę mikserem z końcówkami do ubijania, najpierw chwilę na najniższych, a potem 4 minuty na najwyższych obrotach. Na koniec dodać kwaśną śmietanę.

7. Mąkę wymieszać dokładnie z wiórkami czekoladowymi i proszkiem do pieczenia. Dodawać w dwóch porcjach na zmianę z pianą do masy jajecznej. Delikatnie wymieszać.

8. Ciasto rozprowadzić równomiernie w zagłębieniach formy. Wstawić na ruszt do rozgrzanego piekarnika. **Piec 25–30 minut.**

9. Wyłożyć na kratkę kuchenną. Po 5 minutach babeczki wyjąć z formy i pozostawić na kratce do wystygnięcia.

10. Kuwerturę posiekać na duże kawałki. 160 g śmietanki zagotować w garnuszku, a następnie zdjąć z ognia. Kuwerturę roztopić w śmietance, mieszając.

11. Żelatynę namoczyć zgodnie z instrukcją na opakowaniu. Lekko odcisnąć i rozpuścić w ciepłej czekoladowej śmietance. Przykryć i odstawić.

12. 200 g śmietanki ubić na sztywno. Kiedy czekoladowa śmietanka zacznie się ścinać, ostrożnie dodać ubitą śmietankę i wstawić na pewien czas do lodówki.

13. Nożem z karbowanym ostrzem ostrożnie odkroić wierzchy babeczek. Mus z białej kuwertury rozdzielić łyżką na babeczki i posypać wiórkami kokosowymi. Przykryć tak, aby nie rozgnieść kremu i wstawić na godzinę do lodówki.

14. Przed podaniem przybrać babeczki kwiatkami i motylkami.

Rada: Odkrojone wierzchy babeczek można wykorzystać do przyrządzenia angielskiego deseru o nazwie trifle. W tym celu należy rozkruszyć wierzchy, wrzucić do szklanki, a następnie wedle uznania nasączyć likierem lub kawą. Na to ułożyć warstwę owoców i kremu.

68 BABECZKI Z CAMPARI I POMARAŃCZĄ 24 SZTUKI

ZAWARTOŚĆ JEDNEJ BABECZKI: b: 3 g, t: 11 g, w: 13 g, kJ: 689, kcal: 167, jch: 1,0
CZAS PRZYRZĄDZANIA: 40 minut, nie licząc czasu studzenia
CZAS PIECZENIA: 15–20 minut

BEZ MĄKI – Z ALKOHOLEM

DO PRZYGOTOWANIA
pomarańcza (180 g, niepryskana i niewoskowana)

NA CIASTO
160 g masła lub margaryny
80 g cukru
szczypta soli
50 g płynnego miodu
3 jajka (klasy M)
120 g polenty (kaszki kukurydzianej)
90 g zmielonych migdałów

NA WIERZCH
2 łyżki campari
2 płaskie łyżeczki mąki ziemniaczanej
4 listki białej żelatyny (4 g)
100 g jogurtu (3,5% tłuszczu)
200 g śmietanki kremówki (co najmniej 30% tłuszczu)
2 łyżki cukru
24 galaretki o smaku pomarańczowym do przybrania

DODATKOWO
24 małe papilotki (papierowe foremki) do muffinek

1. Pomarańczę umyć pod gorącą wodą i osuszyć. Skórkę zetrzeć na tarce o małych otworach. Pomarańczę przepołowić i wycisnąć sok.

2. Zagłębienia w formie do 24 małych muffinek wyłożyć papilotkami.

3. Rozgrzać piekarnik.
Grzałka górna/dolna: 180°C
Termoobieg: 160°C

4. Masło lub margarynę z cukrem, solą, miodem i połową skórki z pomarańczy ucierać na puszystą masę mikserem z końcówkami do ubijania, najpierw chwilę na najniższych, a potem 4 minuty na najwyższych obrotach. Stopniowo dodawać jajka (każde jajko miksować pół minuty).

5. Polentę wymieszać z migdałami i dodać do masy jajeczno-tłuszczowej, mieszając trzepaczką.

6. Ciasto rozprowadzić równomiernie w zagłębieniach formy. Wstawić na ruszt do rozgrzanego piekarnika. **Piec 15–20 minut.**

7. Wyłożyć na kratkę kuchenną. Po 5 minutach babeczki wyjąć z formy i pozostawić na kratce do wystygnięcia.

8. Resztę skórki z pomarańczy, 100 ml soku z pomarańczy, campari i mąkę ziemniaczaną wymieszać w garnuszku i zagotować. Zdjąć z ognia.

9. Żelatynę namoczyć zgodnie z instrukcją na opakowaniu. Lekko wycisnąć i rozpuścić w gorącej mieszaninie z sokiem pomarańczowym. Przestudzić do temperatury pokojowej.

10. Do masy pomarańczowej dodać jogurt. Śmietankę ubić na sztywno z cukrem. Kiedy masa pomarańczowo-jogurtowa zacznie gęstnieć, ostrożnie domieszać śmietankę.

11. Krem przełożyć do szprycki z gwiaździstą końcówką (średnica 15 mm). Na każdą babeczkę wycisnąć kleks. Przykryć tak, aby nie rozgnieść kremu i wstawić na godzinę do lodówki.

12. Przed podaniem przybrać galaretkami.

Rada: Campari można zastąpić sokiem pomarańczowym.

70 BABECZKI Z IRISH CREAM 12 SZTUK

ZAWARTOŚĆ JEDNEJ BABECZKI: b: 6 g, t: 34 g, w: 38 g, kJ: 2058, kcal: 492, jch: 3,0
CZAS PRZYRZĄDZANIA: 40 minut, nie licząc czasu chłodzenia
CZAS PIECZENIA: 30 minut

Z LIKIEREM ŚMIETANKOWYM

NA CIASTO

100 g półgorzkiej czekolady (50% kakao)
2 białka (klasy M)
szczypta soli
130 g cukru
2 żółtka (klasy M)
jajko (klasy M)
150 g masła lub margaryny (o temperaturze pokojowej)
opakowanie cukru wanilinowego Dr. Oetkera
100 g crème fraîche
170 g mąki pszennej
½ płaskiej łyżeczki proszku do pieczenia Dr. Oetkera

NA WIERZCH

350 g serka mascarpone
100 g crème fraîche
60 g cukru pudru
opakowanie zagęstnika do śmietany
70 ml likieru irish cream
odrobina kakao
75 g prążkowanych rurek

DODATKOWO

12 papilotek (papierowych foremek) do muffinek

---

1. Czekoladę połamać na małe kawałki. Dwie trzecie roztopić w garnuszku w kąpieli wodnej na małym ogniu, mieszając. Zdjąć z ognia i nadal mieszając, dodać resztę czekolady. Odstawić do przestygnięcia.

2. Zagłębienia w formie do 12 muffinek wyłożyć papilotkami.

3. Rozgrzać piekarnik.
Grzałka górna/dolna: 180°C
Termoobieg: 160°C

4. Białka z solą ubić na sztywno mikserem z końcówkami do ubijania na najwyższych obrotach. Ubijać dalej 3 minuty, stopniowo wsypując połowę cukru.

5. W drugiej misce utrzeć na puszystą masę żółtka z jajkiem, masłem lub margaryną, resztą cukru i cukrem wanilinowym. Dodać letnią czekoladę, a potem crème fraîche.

6. Mąkę wymieszać z proszkiem do pieczenia i dodać w dwóch porcjach do masy jajecznej, miksując chwilę na najniższych obrotach. Pianę również dodać w dwóch porcjach, delikatnie wymieszać.

7. Ciasto rozprowadzić równomiernie w zagłębieniach formy. Wstawić na ruszt do rozgrzanego piekarnika. **Piec 30 minut.**

8. Wyłożyć na kratkę kuchenną. Po 5 minutach babeczki wyjąć z formy i pozostawić na kratce do wystygnięcia.

9. Mascarpone z crème fraîche ucierać chwilę na gładką masę mikserem z końcówkami do ubijania. Cukier puder wymieszać z zagęstnikiem do śmietany. Masę z mascarpone ubić na sztywno, stopniowo wsypując mieszankę cukru z zagęstnikiem. Na koniec dodać likier.

10. Kremem wypełnić szprycę z gładką końcówką (średnica 10 mm) i wycisnąć na babeczki. Najpierw tuż obok siebie zrobić 3–4 paski w jedną stronę, a następnie 3–4 paski w poprzek.

11. Babeczki przykryć tak, aby nie rozgnieść kremu i wstawić na 15 minut do lodówki. Przed podaniem posypać kakao i przybrać rurkami.

72 BABECZKI RÓŻANO-TRUFLOWE

ZAWARTOŚĆ JEDNEJ BABECZKI: b: 7 g, t: 31 g, w: 36 g, kJ: 1893, kcal: 453, jch: 3,0
CZAS PRZYRZĄDZANIA: 60 minut, nie licząc czasu chłodzenia
CZAS PIECZENIA: 20–25 minut

DLA PAŃ

DO PRZYGOTOWANIA

czerwona róża (niepryskana)

białko

2 łyżki cukru

200 g pełnomlecznej kuwertury
(30% kakao)

250 g śmietanki kremówki
(co najmniej 30% tłuszczu)

60 g nasion sezamu

NA CIASTO

150 g masła lub margaryny
(o temperaturze pokojowej)

120 g cukru

szczypta soli

3 jajka (klasy M)

160 g mąki pszennej

½ łyżeczki mielonego kardamonu

1½ płaskiej łyżeczki proszku
do pieczenia Dr. Oetkera

12 (150 g) białych trufli Marc
de Champagne (czekoladek
wypełnionych winiakiem)

NA WIERZCH

łyżeczka wody różanej

DODATKOWO

12 papilotek (papierowych foremek)
do muffinek

1. Płatki róż oderwać, pędzelkiem bardzo cienko posmarować białkiem i posypać cukrem. Odłożyć na kratkę kuchenną do wyschnięcia.

2. Kuwerturę posiekać na małe kawałki. Śmietankę zagotować w garnuszku, po czym zdjąć z ognia. Kawałki kuwertury wrzucić do śmietanki i roztopić, mieszając. Lekko przestudzić, a następnie przykryć i wstawić na 3–4 godziny do lodówki.

3. Nasiona sezamu zrumienić na złotobrązowy kolor na patelni bez tłuszczu, mieszając, i przesypać na talerz.

4. Zagłębienia w formie do 12 muffinek wyłożyć papilotkami.

5. Rozgrzać piekarnik.
Grzałka górna/dolna: 180°C
Termoobieg: 160°C

6. Masło lub margarynę ucierać z cukrem i solą w misce mikserem z końcówkami do ubijania najpierw chwilę na najniższych, a następnie 4 minuty na najwyższych obrotach. Stopniowo dodawać jajka (każde jajko miksować pół minuty).

7. Mąkę wymieszać dokładnie z kardamonem, proszkiem do pieczenia i 45 g prażonego sezamu. Dodać do masy jajeczno-tłuszczowej.

8. Ciasto rozprowadzić równomiernie w zagłębieniach formy i w każdą porcję ostrożnie wcisnąć jedną truflę. Wstawić na ruszt do rozgrzanego piekarnika. **Piec 20–25 minut.**

9. Wyłożyć na kratkę kuchenną. Po 5 minutach babeczki wyjąć z formy i pozostawić na kratce do wystygnięcia.

10. Czekoladową śmietankę ubić z wodą różaną mikserem z końcówkami do ubijania i przełożyć do szprycki z dużą końcówką w kształcie kwiatka. Wycisnąć dekoracyjny wzór na babeczki. Przykryć tak, aby nie rozgnieść śmietanki i wstawić na godzinę do lodówki.

11. Przed podaniem każdą babeczkę posypać odrobiną sezamu i przybrać płatkiem róży.

Rady: Płatków róży w zasadzie nie powinno się płukać, ponieważ łatwo je uszkodzić. Jeśli jest to konieczne, należy je płukać ostrożnie i całkowicie osuszyć, zanim zostaną posmarowane białkiem. W szczelnych blaszanych puszkach płatki można przechowywać 6 tygodni.

74 BABECZKI Z HIBISKUSEM 12 SZTUK

ZAWARTOŚĆ JEDNEJ BABECZKI: b: 8 g, t: 20 g, w: 26 g, kJ: 1333, kcal: 318, jch: 2,0
CZAS PRZYRZĄDZANIA: 40 minut, nie licząc czasu chłodzenia
CZAS PIECZENIA: 25–30 minut

Z KORONĄ

NA CIASTO

3 białka (klasy M)
szczypta soli
120 g cukru
3 żółtka (klasy M)
150 g masła lub margaryny (o temperaturze pokojowej)
100 g kwaśnej śmietany
100 g mąki pszennej
120 g zmielonych migdałów
płaska łyżeczka proszku do pieczenia Dr. Oetkera

NA WIERZCH

250 g kwiatów hibiskusa z sokiem (ze słoika)
150 g mleka (1,5% tłuszczu)
opakowanie kremu waniliowego w proszku Dr. Oetkera
250 g chudego twarożku

DODATKOWO

12 papilotek (papierowych foremek) do muffinek

1. Zagłębienia w formie do 12 muffinek wyłożyć papilotkami.

2. Rozgrzać piekarnik.
Grzałka górna/dolna: 180°C
Termoobieg: 160°C

3. Białka z solą ubić na sztywno mikserem z końcówkami do ubijania na najwyższych obrotach. Ubijać dalej 3 minuty, dosypując stopniowo 100 g cukru.

4. W drugiej misce żółtka z masłem lub margaryną i resztą cukru ucierać na puszystą masę mikserem z końcówkami do ubijania, najpierw chwilę na najniższych, a potem 4 minuty na najwyższych obrotach. Na koniec dodać kwaśną śmietanę.

5. Mąkę wymieszać dokładnie z proszkiem do pieczenia i w dwóch porcjach, na zmianę z pianą, dodać do masy żółtkowej. Ciasto rozprowadzić równomiernie w zagłębieniach formy. Wstawić na ruszt do rozgrzanego piekarnika. **Piec 25–30 minut.**

6. Kwiaty hibiskusa dokładnie odsączyć na sitku, zlewając sok do naczynia. Odmierzyć 60 ml soku.

7. Formę wyłożyć na kratkę kuchenną. Po 5 minutach babeczki wyjąć z formy i jeszcze ciepłe pędzelkiem posmarować sokiem z hibiskusa. Pozostawić na kratce do wystygnięcia.

8. Z mleka, deseru w proszku i twarożku przyrządzić krem zgodnie z instrukcją na opakowaniu.

9. Krem rozprowadzić łyżką równomiernie na babeczkach i wygładzić nożem. Przykryć tak, aby nie rozgnieść kremu i wstawić na godzinę do lodówki. Przed podaniem każdą babeczkę przybrać kwiatem hibiskusa.

76 BABECZKI Z CIASTECZEK 12 SZTUK

ZAWARTOŚĆ JEDNEJ BABECZKI: b: 4 g, t: 14 g, w: 24 g, kJ: 986, kcal: 236, jch: 2,0
CZAS PRZYRZĄDZANIA: 30 minut, nie licząc czasu studzenia
CZAS MROŻENIA: 6 godzin

DLA ŁASUCHÓW

NA MASĘ LODOWĄ

80 g cukru pudru
150 g ciasteczek, na przykład karmelowo-orzechowych
300 g śmietanki kremówki (co najmniej 30% tłuszczu)
40 g surowej masy marcepanowej
2 żółtka (klasy M)
jajko (klasy M)
łyżka cukru

NA WIERZCH

2 białka (klasy M)
80 g cukru
ewentualnie 2–3 łyżki krokantu z orzechów laskowych

DODATKOWO

12 papilotek (papierowych foremek) do muffinek
palnik kuchenny do zrumienienia bezików

1. Zagłębienia w formie do 12 muffinek wyłożyć papilotkami.

2. Cukier puder karmelizować na złotobrązowy kolor w stalowym garnuszku na małym ogniu, mieszając. Karmel wylać natychmiast cienką warstwą na natłuszczoną lub wyłożoną papierem do pieczenia blachę. Pozostawić do wystygnięcia. Połamać na kawałki i rozgnieść wałkiem do ciasta.

3. Ciasteczka włożyć do torebki foliowej i dokładnie zamknąć. Wałkiem do ciasta rozgnieść na drobne okruszki.

4. Śmietankę ubić na sztywno. Marcepan pokroić na małe kawałki i razem z żółtkami wrzucić do miski. Utrzeć na puszystą masę mikserem z końcówkami do ubijania najpierw chwilę na najniższych, a potem na najwyższych obrotach. Na koniec dodać pokruszony karmel.

5. Jajko ubić mikserem z końcówkami do ubijania na najwyższych obrotach, wsypując cukier. Masę marcepanową z ubitą na sztywno śmietanką i okruszkami ciasteczek ostrożnie dodać do jajka z cukrem. Masę równomiernie rozprowadzić w zagłębieniach formy. Przykryć i wstawić na co najmniej 6 godzin do zamrażarki.

6. Białka ubić na sztywno mikserem z końcówkami do ubijania na najwyższych obrotach. Piana musi być tak sztywna, żeby było w niej widać ślad cięcia nożem. Stopniowo dosypywać cukier i tak długo ubijać, aż piana będzie lśnić.

7. Masą bezową napełnić szpryckę z gładką końcówką (średnica 15 mm). Babeczki wyjąć z formy. Na każdą wycisnąć duży kleks masy i ostrożnie zrumienić palnikiem kuchennym. Można też wedle uznania zamrożone babeczki pokryte masą bezową mrozić jeszcze kilka godzin i przed podaniem posypać krokantem z orzechów laskowych.

Uwaga: Używać tylko bardzo świeżych jajek, nie starszych niż 5 dni (zwracać uwagę na datę zniesienia!). Babeczki spożyć w ciągu 24 godzin.

78 BARDZO OWOCOWE BABECZKI 12 SZTUK

ZAWARTOŚĆ JEDNEJ BABECZKI: b: 2 g, t: 13 g, w: 19 g, kJ: 850, kcal: 203, jch: 1,5
CZAS PRZYRZĄDZANIA: 30 minut
CZAS MROŻENIA: 6 godzin

LODOWATA ROZKOSZ

NA MASĘ LODOWĄ

200 g mrożonej mieszanki owoców jagodowych

100 g cukru żelującego (2:1)

100 g małych bezików (gotowych)

350 g śmietanki kremówki (co najmniej 30% tłuszczu)

opakowanie cukru wanilinowego Dr. Oetkera

NA WIERZCH

150 g śmietanki kremówki (co najmniej 30% tłuszczu)

łyżeczka cukru

24 świeże maliny

DODATKOWO

12 papilotek (papierowych foremek) do muffinek

1. Zagłębienia w formie do 12 muffinek wyłożyć papilotkami.

2. Mrożone owoce z cukrem żelującym zagotować w garnuszku na średnim ogniu, od czasu do czasu mieszając. Zdjąć z ognia i wystudzić.

3. Beziki włożyć do torebki foliowej i dokładnie zamknąć. Wałkiem do ciasta rozgnieść na grube okruchy.

4. Śmietankę z cukrem wanilinowym ubić na sztywno mikserem z końcówkami do ubijania. Dodać do wystudzonych owoców. Na koniec domieszać pokruszone beziki.

5. Masę lodową rozprowadzić równomiernie w zagłębieniach formy. Przykryć i wstawić co najmniej na 6 godzin do lodówki.

6. Śmietankę przeznaczoną na wierzch ubić z cukrem na sztywno mikserem z końcówkami do ubijania. Przełożyć do szprycki z gwiaździstą końcówką (średnica 10 mm). Babeczki wyjąć z formy, każdą przybrać śmietanką i dwiema malinami. Natychmiast podawać.

Rada: Zamiast mrożonych owoców jagodowych można użyć takiej samej ilości świeżych owoców, na przykład truskawek (poćwiartowanych), jeżyn, malin, czarnych jagód, wiśni i porzeczek.

80 BABECZKI Z HERBATNIKÓW 12 SZTUK

ZAWARTOŚĆ JEDNEJ BABECZKI: b: 6 g, t: 23 g, w: 27 g, kJ: 1413, kcal: 337, jch: 2,0
CZAS PRZYRZĄDZANIA: 30 minut, nie licząc czasu studzenia

CZEKOLADOWO-OWOCOWE PIRAMIDKI

NA KREM CZEKOLADOWY

300 g półgorzkiej czekolady (50% kakao)

350 g śmietanki kremówki (co najmniej 30% tłuszczu)

100 g świeżych czerwonych porzeczek

330 g okrągłych herbatników wielozbożowych
(średnicy 6 cm)

DODATKOWO

12 papilotek (papierowych foremek) do muffinek

1. Zagłębienia w formie do 12 muffinek wyłożyć papilotkami.

2. Czekoladę połamać na małe kawałki. Śmietankę zagotować w garnuszku. Zdjąć z ognia. Wrzucić kawałki czekolady i mieszając, roztopić. Lekko przestudzić. Następnie przykryć i wstawić na 2–3 godziny do lodówki.

3. Porzeczki opłukać i osuszyć. Odszypułkować.

4. Do każdego zagłębienia w formie wkruszyć jeden herbatnik. Czekoladową śmietankę wymieszać trzepaczką i przełożyć do szprycki ze średniej wielkości gwiaździstą końcówką.

5. Do każdego zagłębienia formy wypełnionego okruchami wycisnąć duży kleks kremu czekoladowego i ułożyć na nim 6–8 porzeczek. Następnie ostrożnie nałożyć cały herbatnik. Wycisnąć drugi kleks kremu, ułożyć 6–8 porzeczek i nałożyć kolejny herbatnik.

6. Wierzchni herbatnik przybrać małym kleksem kremu czekoladowego i trzema porzeczkami.

7. Przykryć tak, aby nie rozgnieść kremu i wstawić na 2–3 godziny do lodówki. Następnie wyjąć z formy i podać.

Rada: Babeczki można przechowywać w lodówce pod przykryciem 1–2 dni.

82 BABECZKI ZIELONE JAK ŁĄKA 12 SZTUK

ZAWARTOŚĆ JEDNEJ BABECZKI: b: 6 g, t: 26 g, w: 47 g, kJ: 1881, kcal: 449, jch: 4,0
CZAS PRZYRZĄDZANIA: 60 minut, nie licząc czasu studzenia
CZAS PIECZENIA: 30 minut

WIOSENNIE

NA CIASTO

2 białka (klasy M)

szczypta soli

160 g cukru

opakowanie cukru wanilinowego Dr. Oetkera

2 żółtka (klasy M)

150 g masła lub margaryny (o temperaturze pokojowej)

2 łyżki oleju

200 g mąki pszennej

płaska łyżeczka proszku do pieczenia Dr. Oetkera

70 ml soku pomarańczowego

NA WIERZCH

70 g półgorzkiej czekolady (50% kakao)

50 ml mleka (3,5% tłuszczu)

70 g masła (o temperaturze pokojowej)

50 g cukru pudru

DO PRZYBRANIA

200 g surowej masy marcepanowej

50 g cukru pudru

odrobina zielonego barwnika spożywczego

30 kolorowych cukrowych kwiatków

DODATKOWO

12 papilotek (papierowych foremek) do muffinek

---

1. Zagłębienia w formie do 12 muffinek wyłożyć papilotkami.

2. Rozgrzać piekarnik.
Grzałka górna/dolna: 180°C
Termoobieg: 160°C

3. Białka z solą ubić na sztywno mikserem z końcówkami do ubijania na najwyższych obrotach. Pianę ubijać jeszcze 3 minuty, stopniowo dosypując połowę cukru i cukier wanilinowy.

4. W drugiej misce utrzeć na puszystą masę żółtka z resztą cukru, masłem lub margaryną i olejem. Mąkę wymieszać z proszkiem do pieczenia i dodawać na zmianę z sokiem pomarańczowym, miksując chwilę na najniższych obrotach. Pianę również dodać w dwóch porcjach.

5. Ciasto rozprowadzić równomiernie w zagłębieniach formy. Wstawić na ruszt do rozgrzanego piekarnika. **Piec 30 minut.**

6. Wyłożyć na kratkę kuchenną. Po 5 minutach babeczki wyjąć z formy i pozostawić na kratce do wystygnięcia.

7. Czekoladę połamać na małe kawałki. Mleko podgrzać w garnuszku (nie gotować). Zdjąć z ognia, roztopić czekoladę i wymieszać. Pozostawić do przestygnięcia, aż zacznie gęstnieć.

8. Masło utrzeć z cukrem pudrem na puszystą masę. Stopniowo dodawać przestudzoną masę czekoladową. Jeśli krem jest bardzo miękki, wstawić na 10 minut do lodówki. Następnie rozdzielić na babeczki i rozsmarować łyżeczką. Przykryć i wstawić na 15 minut do lodówki.

9. W tym czasie marcepan zagnieść z cukrem pudrem i barwnikiem spożywczym na zieloną masę. Podzielić na 12 porcji. Na każdą babeczkę wycisnąć przez praskę do czosnku porcję marcepana, tworząc „łąkę" na kremie czekoladowym. Babeczki przybrać cukrowymi kwiatkami.

Rada: Porcje marcepana można także wycisnąć łyżką przez metalowe sitko.

84 BABECZKI WALENTYNKOWE 12 SZTUK

ZAWARTOŚĆ JEDNEJ BABECZKI: b: 7 g, t: 26 g, w: 36 g, kJ: 1684, kcal: 403, jch: 3,0
CZAS PRZYRZĄDZANIA: 40 minut, nie licząc czasu chłodzenia
CZAS PIECZENIA: 25 minut

DLA ZAKOCHANYCH

NA WIERZCH

150 g półgorzkiej czekolady (50% kakao)
150 g śmietanki kremówki (co najmniej 30% tłuszczu)
50 g białej czekolady

NA CIASTO

125 g masła lub margaryny (o temperaturze pokojowej)
125 g cukru
5 kropli aromatu migdałowego
½ płaskiej łyżeczki cynamonu
3 jajka (klasy M)
75 g obranych ze skórki i zmielonych migdałów
175 g mąki pszennej
4½ płaskiej łyżeczki proszku do pieczenia Dr. Oetkera

DO PRZYBRANIA

150 g półgorzkiej kuwertury (50% kakao)
odrobina cukru pudru

DODATKOWO

12 papierowych i **12** aluminiowych (różowych) foremek do muffinek

papier do pieczenia
foremki do wykrawania ciasta w kształcie literek

---

1. Półgorzką czekoladę połamać na kawałki. Śmietankę podgrzać w garnuszku (nie gotować). Zdjąć z ognia, wrzucić kawałki czekolady i odstawić na minutę. Trzepaczką wymieszać na gładką masę, aż czekolada całkiem się roztopi. Lekko przestudzić, a następnie przykryć i wstawić na 2–3 godziny do lodówki.

2. Zagłębienia w formie do 12 muffinek wyłożyć papierowymi foremkami. Białą czekoladę drobno posiekać.

3. Rozgrzać piekarnik.
Grzałka górna/dolna: 180°C
Termoobieg: 160°C

4. Masło lub margarynę utrzeć mikserem z końcówkami do ubijania na najwyższych obrotach. Stopniowo dodawać cukier, aromat i cynamon. Miksować tak długo, aż powstanie jednolita masa.

5. Stopniowo dodawać jajka (każde jajko miksować pół minuty). Migdały wymieszać z mąką i proszkiem do pieczenia, po czym domieszać do masy jajecznej, miksując na średnich obrotach. Na koniec dodać posiekaną białą czekoladę.

6. Ciasto rozprowadzić równomiernie w zagłębieniach formy. Wstawić na ruszt do rozgrzanego piekarnika. **Piec 25 minut.**

7. Wyłożyć na kratkę kuchenną. Po 5 minutach babeczki wyjąć z formy i pozostawić na kratce do wystygnięcia.

8. Kuwerturę grubo posiekać. Dwie trzecie roztopić w garnuszku w kąpieli wodnej na małym ogniu, mieszając. Zdjąć z ognia i roztopić resztę kuwertury, nadal mieszając. Wylać na blachę do pieczenia lub deskę do krojenia wyłożoną papierem do pieczenia i rozsmarować na grubość 2–3 mm. Pozostawić do zastygnięcia.

9. Foremkami ostrożnie wykroić z kuwertury literki i zdjąć je z papieru.

10. Krem śmietankowo-czekoladowy wymieszać, nałożyć trochę na każdą babeczkę. Czekoladowe literki ostrożnie wcisnąć w krem. Posypać cukrem pudrem.

Rada: Do przybrania można też użyć czekoladowych serduszek.

86 BABECZKI NA HALLOWEEN 12 SZTUK

ZAWARTOŚĆ JEDNEJ BABECZKI: b: 7 g, t: 22 g, w: 32 g, kJ: 1461, kcal: 349, jch: 2,5
CZAS PRZYRZĄDZANIA: 50 minut, nie licząc czasu mrożenia i chłodzenia
CZAS PIECZENIA: 20–25 minut

ZACHWYCĄ GOŚCI

DO PRZYGOTOWANIA

250 g dyni Hokkaido
opakowanie budyniu waniliowego w proszku
Dr. Oetkera

2 łyżki cukru
400 ml mleka (1,5% tłuszczu)

NA CIASTO

3 białka (klasy M)
szczypta soli
100 g cukru
50 g surowej masy marcepanowej
3 żółtka (klasy M)
100 g zmielonych orzechów laskowych
100 g mąki pszennej
1½ płaskiej łyżeczki proszku do pieczenia Dr. Oetkera
płaska łyżeczka cynamonu
na czubek noża mielonych goździków
na czubek noża mielonego pieprzu
szczypta mielonej gałki muszkatołowej

NA WIERZCH

150 g masła (o temperaturze pokojowej)
80 g cukru pudru
50 g zrumienionych pestek z dyni do posypania

DODATKOWO

12 papilotek (papierowych foremek) do muffinek

1. Dynię umyć, wytrzeć i razem ze skórką zetrzeć na tarce o dużych otworach. Wrzucić do torebki foliowej, dokładnie zamknąć i włożyć na 1–2 godziny do zamrażarki.

2. Z proszku budyniowego, cukru i mleka przyrządzić budyń zgodnie z instrukcją na opakowaniu, lecz z podanych tu ilości. Przełożyć do miski. Bezpośrednio na jego powierzchni położyć folię spożywczą i odstawić do przestygnięcia.

3. Zagłębienia w formie do 12 muffinek wyłożyć papilotkami.

4. Rozgrzać piekarnik.
Grzałka górna/dolna: 180°C
Termoobieg: 160°C

5. Białka z solą ubić na sztywno mikserem z końcówkami do ubijania na najwyższych obrotach. Stopniowo dosypywać cukier. Marcepan pokroić na małe kawałki i razem z żółtkami wrzucić do miski. Ucierać na pulchną masę mikserem z końcówkami do ubijania najpierw chwilę na najniższych, a potem na najwyższych obrotach tak długo, aż kawałki marcepana nie będą już widoczne.

6. Orzechy wymieszać dokładnie z mąką, proszkiem do pieczenia, cynamonem, goździkami, pieprzem i gałką muszkatołową. Zamrożonymi wiórkami dyniowymi posypać pianę i wymieszać. Dodać masę marcepanową oraz mąkę z przyprawami i ponownie wymieszać. Ciasto rozprowadzić równomiernie w zagłębieniach formy. Wstawić na ruszt do rozgrzanego piekarnika. **Piec 20–25 minut.**

7. Wyłożyć na kratkę kuchenną i po 5 minutach babeczki wyjąć z formy. Pozostawić na kratce do wystygnięcia.

8. Masło z cukrem pudrem utrzeć na kremową masę. Przyrządzony wcześniej budyń dodawać łyżkami; masło i budyń powinny mieć tę samą temperaturę. Krem waniliowy przełożyć do szprycki z gładką końcówką (średnica 10 mm). Na każdą babeczkę wycisnąć duży kleks.

9. Przed podaniem każdą babeczkę posypać pestkami dyni.

Rada: Na dekoracyjne dynie trzeba zagnieść 160 g surowej masy marcepanowej z 10 g cukru pudru, zabarwić kilkoma kroplami czerwonego i pomarańczowego barwnika spożywczego, a 20 g masy marcepanowej zabarwić zielonym barwnikiem spożywczym. Z pomarańczowego marcepana zrobić 12 kulek jednakowej wielkości, lekko spłaszczyć i grzbietem noża ponacinać po bokach. Z zielonego marcepana zrobić wąsy i połączyć z kulką. Każdą babeczkę przybrać marcepanową dynią.

88 BABECZKI DLA DZIEWCZYNEK 12 SZTUK

ZAWARTOŚĆ JEDNEJ BABECZKI: b: 5 g, t: 19 g, w: 34 g, kJ: 1368, kcal: 328, jch: 3,0
CZAS PRZYRZĄDZANIA: 40 minut, nie licząc czasu chłodzenia
CZAS PIECZENIA: 25–30 minut

SŁODKIE, BŁYSZCZĄCE I RÓŻOWE

DO PRZYGOTOWANIA

250 g świeżych buraków ćwikłowych

NA CIASTO

3 białka (klasy M)
szczypta soli
140 g cukru
150 g masła lub margaryny (o temperaturze pokojowej)
3 żółtka (klasy M)
160 g mąki pszennej
płaska łyżeczka proszku do pieczenia Dr. Oetkera

NA WIERZCH

300 g twarożku śmietankowego
60 g cukru pudru
50 g różowych kryształków cukru
łyżka cukrowych serduszek

DODATKOWO

12 papilotek (papierowych foremek) do muffinek

---

1. Obrać buraki i zetrzeć na tarce o małych otworach. Wycisnąć z nich 1–2 łyżeczki soku i odstawić. Odważyć 160 g startych buraków i odłożyć do ciasta.

2. Zagłębienia w formie do 12 muffinek wyłożyć papilotkami.

3. Rozgrzać piekarnik.
Grzałka górna/dolna: 180°C
Termoobieg: 160°C

4. Białka z solą ubić na sztywno mikserem z końcówkami do ubijania na najwyższych obrotach. Pianę ubijać dalej 3 minuty, stopniowo dosypując 100 g cukru.

5. W drugiej misce masło lub margarynę z żółtkami i resztą cukru ucierać mikserem z końcówkami do ubijania najpierw chwilę na najniższych, a potem 4 minuty na najwyższych obrotach. Następnie dodać starte buraki.

6. Mąkę wymieszać dokładnie z proszkiem do pieczenia. W dwóch porcjach, na zmianę z pianą, dodawać do masy żółtkowej.

7. Ciasto rozprowadzić równomiernie w zagłębieniach formy. Wstawić na ruszt do rozgrzanego piekarnika. **Piec 25–30 minut.**

8. Wyłożyć na kratkę kuchenną. Po 5 minutach babeczki wyjąć z formy i pozostawić na kratce do wystygnięcia.

9. Twarożek z cukrem pudrem i 1–2 łyżeczkami soku buraczanego wymieszać na gładką masę. Nożem nakładać krem na babeczki, nadając im kształt stożków. Przykryć tak, aby nie rozgnieść kremu i wstawić na godzinę do lodówki.

10. Przed podaniem posypać kryształkami cukru i cukrowymi serduszkami.

90 BABECZKI BIEDRONECZKI 12 SZTUK

ZAWARTOŚĆ JEDNEJ BABECZKI: b: 5 g, t: 19 g, w: 52 g, kJ: 2159, kcal: 401, jch: 4,5
CZAS PRZYRZĄDZANIA: 40 minut, nie licząc czasu chłodzenia
CZAS PIECZENIA: 30 minut

NA SZCZĘŚCIE

NA CIASTO UCIERANE

180 g masła lub margaryny (o temperaturze pokojowej)
180 g cukru
opakowanie cukru wanilinowego Dr. Oetkera
6 g skórki startej z cytryny
3 jajka (klasy M)
150 ml soku multiwitaminowego
375 g mąki pszennej
3 płaskie łyżeczki proszku do pieczenia Dr. Oetkera

NA POLEWĘ

50 g cukru pudru
3 łyżeczki wody
odrobina czerwonego barwnika spożywczego
brązowy pisak cukrowy

NA NADZIENIE

opakowanie kremu budyniowego do karpatki (40 g)
125 g zimnej śmietanki kremówki (co najmniej 30% tłuszczu)
125 ml soku multiwitaminowego

12 patyczków czekoladowych

---

1. Zagłębienia w formie do 12 muffinek natłuścić i wysypać mąką.

2. Rozgrzać piekarnik.
Grzałka górna/dolna: 180°C
Termoobieg: 160°C

3. Masło lub margarynę utrzeć mikserem z końcówkami do ubijania na najwyższych obrotach. Stopniowo dosypywać cukier, cukier wanilinowy i skórkę z cytryny. Ucierać tak długo, aż powstanie jednolita masa.

4. Stopniowo dodawać jajka (każde jajko miksować pół minuty). Następnie wlać sok multiwitaminowy. Mąkę wymieszać z proszkiem do pieczenia i dodać w dwóch porcjach, miksując na średnich obrotach.

5. Ciasto rozprowadzić równomiernie w zagłębieniach formy. Wstawić na ruszt do rozgrzanego piekarnika (dolny poziom). **Piec 30 minut.**

6. Wyłożyć na kratkę kuchenną. Po 5 minutach babeczki wyjąć z formy i pozostawić na kratce do wystygnięcia.

7. Z każdej babeczki odkroić wierzch i podzielić go na dwie nierówne części.

8. Cukier puder rozmieszać z wodą. Zabarwić czerwonym barwnikiem spożywczym i używając noża, posmarować nim większą część każdego wierzchu. Brązowym pisakiem cukrowym zrobić na polewie kropki, a na mniejszej części wierzchu namalować buźkę. Część wierzchu posmarowanego czerwoną polewą przekroić pośrodku tak, aby powstały skrzydełka biedronki.

9. Krem budyniowy przyrządzić zgodnie z instrukcją na opakowaniu, lecz z podanych tu ilości. Natychmiast przełożyć do torebki foliowej, dokładnie zamknąć i odciąć mały rożek. Krem wycisnąć równomiernie na dolne części babeczek. Następnie nałożyć buźkę i skrzydełka.

10. Czekoladowe patyczki podzielić na kawałki długości 5 cm i do każdej babeczki wcisnąć w krem 2 kawałki jako czułki biedronki.

Już od wielu lat babeczki są szalenie modne w Stanach Zjednoczonych, Wielkiej Brytanii i Australii. Niedawno podbiły również Niemcy. Ich angielska nazwa *cupcakes* pochodzi stąd, że kiedyś piekło się je w filiżankach lub filiżankami odmierzano składniki. Babeczki są podobne do muffinów, lecz ich ciasto jest słodsze i pulchniejsze. Charakterystyczna dla babeczek jest czapeczka z kremu, którą wyciska się ze szprycki lub smaruje nożem.

CIASTA

Na babeczki nadaje się ciasto biszkoptowe lub ucierane. Wypiek jest szczególnie puszysty w dniu przyrządzenia, a następnego dnia nieco bardziej zbity. Wystudzone babeczki można z powodzeniem zamrażać. Wówczas rozmraża się je w dniu spożycia i przygotowuje wierzch.

WIERZCH

Rodzaj kremowej czapeczki decyduje przeważnie o nazwie babeczek. Fantazja nie zna tu granic. Jest tylko jeden warunek: żeby krem nadawał się do smarowania lub wyciskania i nie spływał z powierzchni babeczek.

W książce znajduje się wiele różnych wierzchów, na przykład z kremu maślanego, białek, śmietanki, serka mascarpone lub twarożku. Przeważnie są one z dodatkami owoców bądź innych składników, a także barwione.

PRZYBRANIE

Możliwe są wszystkie dodatki – cukrowe kwiatki, perełki, żelki owocowe, kawałki owoców, pianki, herbatniki, orzechy, suszone owoce, syrop, likier, czekolada, pralinki i wiele innych. Przybranie nie powinno jednak być zbyt ciężkie, by nie przygniatało wierzchu. Płynne przybranie oraz dekorację z cukru należy nanosić tuż przed podaniem, żeby się nie rozpuściło.

FORMA DO PIECZENIA

Ciasto piecze się przeważnie w formie do 12 muffinek. W niektórych przepisach wymienia się również formę do 24 małych muffinek. Formę do muffinek natłuszcza się i wysypuje mąką lub po prostu – jak podano w przepisach – wykłada 12 lub 24 papilotkami (papierowymi foremkami). Ułatwia to znacznie czyszczenie formy, poprawia również wygląd babeczek. Papilotki można kupić w wielu kolorach i wzorach. Można też kupić silikonowe foremki wielokrotnego użytku.

Papierowe foremki do babeczek „normalnej wielkości" można z powodzeniem zastąpić papierem do pieczenia pociętym na kwadraty o wymiarach 19 x 19 cm. Trzeba go tylko starannie wcisnąć w zagłębienia formy, żeby dokładnie przylegał.

Używanie filiżanek nie jest warte polecenia, gdyż po pierwsze, musiałyby być żaroodporne (większość nie jest), a po drugie, mają różne rozmiary. Wskutek tego liczba babeczek i czas pieczenia podane w przepisie nie byłyby miarodajne.

POZOSTAŁE PRZYBORY

Zwykły nóż stołowy wystarcza zazwyczaj do nakładania kremu lub masy na wierzch. Do jego wyciskania natomiast potrzebna jest szprycka z dużymi końcówkami (gładką i gwiaździstą).

PRZECHOWYWANIE

Babeczki należy przechowywać w szczelnych pojemnikach. Gotowe babeczki z łatwo psującym się wierzchem należy przechowywać w lodówce. Pojemnik powinien być dostatecznie wysoki, w przeciwnym wypadku krem się rozgniecie. Cukrową posypkę, owoce i tym podobne nakłada się na krótko przed podaniem babeczek.

UWAGI OGÓLNE

SKRÓTY

g = gram
kg = kilogram
ml = mililitr
l = litr
°C = stopnie Celsjusza

KALORIE/WARTOŚCI ODŻYWCZE

b = białko
t = tłuszcze
w = węglowodany
kcal = kilokalorie
kJ = kilodżule
jch = jednostki chlebowe

Podane w przepisach wartości odżywcze są liczbami zaokrąglonymi. Jedynie jednostki chlebowe podano z dokładnością do jednego miejsca po przecinku. Ze względu na ciągłe wahania surowców i/lub zmiany w składzie produktów spożywczych wartości te mogą się nieco różnić. Służą zatem jedynie orientacji i tylko warunkowo nadają się do planowania diety, na przykład w przypadku cukrzycy. Jeśli dieta jest uwarunkowana chorobą, należy kierować się wskazówkami dietetyka lub lekarza.

UWAGI DO PRZEPISÓW

Przed przystąpieniem do przyrządzania – a jeszcze lepiej przed kupieniem składników – należy dokładnie przeczytać cały przepis.

UWAGA DOTYCZĄCA JAJEK

Jeśli w jakimś przepisie używa się jajek nieprzeznaczonych do obróbki termicznej, należy zastosować produkt bardzo świeży, nie starszy niż 5 dni (patrzeć na datę zniesienia jajek).

LISTA SKŁADNIKÓW

Składniki podano w kolejności ich dodawania.

ETAPY PRZYRZĄDZANIA

Etapy przyrządzania wyróżniono w punktach, w takiej kolejności, w jakiej należy je wykonywać.

CZAS PRZYRZĄDZANIA

Czas przyrządzania jest orientacyjnym czasem przygotowania i właściwego przyrządzania. Nie uwzględnia dłuższych terminów oczekiwania, na przykład na wystygnięcie, rozmrożenie lub nasiąknięcie, jeśli równocześnie nie wykonuje się innych czynności. Czas pieczenia podany jest w przepisie odrębnie.

USTAWIENIE PIEKARNIKA I CZAS PIECZENIA

Temperatura i czas pieczenia podane w przepisach są wartościami orientacyjnymi, które mogą się różnić w zależności od indywidualnej sprawności grzewczej piekarnika. Po upłynięciu czasu pieczenia należy sprawdzić, czy ciasto jest już upieczone. Dane dotyczące temperatury odnoszą się do piekarników elektrycznych. Możliwości ustawienia temperatury piekarnika gazowego różnią się w zależności od producenta, więc nie możemy podać ogólnie obowiązujących wartości. Przy ustawianiu piekarnika należy przestrzegać instrukcji użytkowania dołączonej przez producenta. Termometr wstawiany do piekarnika zapewnia kontrolę panującej w nim temperatury.

WYSOKOŚĆ USTAWIENIA BLACHY

Wysokie i średnie formy wstawia się zazwyczaj na ruszt ustawiony na dolnym poziomie piekarnika, zaś płaskie formy – na średnim poziomie. Różnice są możliwe i zależne od wykonania piekarnika. Należy uwzględnić informacje podane przez producenta.

Tytuł oryginału	CUPCAKES
Wydawca	Renata Kuryłowicz
Redakcja	Mirosława Kostrzyńska
Korekta	Marzenna Kłos

Copyright © 2012 by Dr. Oetker Verlag KG, Bielefeld
Copyright © for the Polish translation by Barbara Floriańczyk 2014

Zdjęcie na okładce	Thomas Diercks, Hamburg
Zdjęcia w książce	Anke Politt, Hamburg (s. 4/5, 8–39, 43–83, 87, 88/89)
	Walter Cimbal, Hamburg (s. 85)
	Thomas Diercks, Hamburg (s. 41, 90)
	Janne Peters, Hamburg (s. 7)
Dziękujemy	Peter Kölln, Elmshorn
za przyjacielskie wsparcie	Griesson – de Beukelaer, Wiesbaden
	MARS, Viersen
Opracowanie wartości odżywczych	Nutri Service, Hennef
Koncepcja graficzna	kontur:design, Bielefeld

Świat Książki
Warszawa 2014

Świat Książki Sp. z o.o.
02-103 Warszawa, ul. Hankiewicza 2

Księgarnia internetowa: Fabryka.pl

Skład i łamanie	Lima
Druk i oprawa	Pozkal
Dystrybucja	Firma Księgarska Olesiejuk sp. z o.o., sp. k.a.
	05-850 Ożarów Mazowiecki, ul. Poznańska 91
	email: hurt@olesiejuk.pl tel. 22 721 30 00
	www.olesiejuk.pl

ISBN 978-83-7943-260-8
Nr 90090069

62215